Yo soy el Futbolista Secreto

Yo soy el Futbolista Secreto

Primera edición: noviembre de 2014

Av. Marquès de l'Argentera 17, pral.
08003 Barcelona
info@editorialcorner.com
www.editorialcorner.com

Impreso por Liberdúplex, s.l.u.
Crta. BV-2249, km 7,4, Pol. Ind. Torrentfondo
Sant Llorenç d'Hortons (Barcelona)

ISBN: 978-84-15242-65-9
Depósito legal: B. 20.753-2014
Código IBIC: WSJA

RC42659

Índice

INTRODUCCIÓN

Paul Johnson, director adjunto
de Guardian News & Media

El *Futbolista Secreto* es una declaración y un recurso. La primera columna que escribió para *The Guardian* hace dos años y medio suscitó un interés inmediato por desenmascarar a su autor. Se ha intentado averiguar su identidad a través de un análisis exhaustivo de los nombres, clubes y partidos que menciona en sus artículos. En los foros de aficionados se debate a fondo y con conocimiento de causa al respecto, y existe una página web empeñada en descubrirlo: *whoisthesecretfootballer.co.uk*. Se le ha identificado con docenas de futbolistas, y según los que creen haber descifrado el enigma ha jugado, entre otros clubes, en el Blackburn, Sunderland, Fulham, Bolton, Wolves, Burnley, Newcastle, Leicester, Liverpool, West Ham, Everton, Spurs, Birmingham o Celtic.

La página que le dedica la Wikipedia asegura que es inglés y que ha pertenecido a, por lo menos, dos equipos de la Premier League. La polémica y la búsqueda de indicios son divertidas y comprensibles, y quizás algún día él mismo decida darse a conocer. Pero si se revelara quién es, le sería imposible escribir de la forma en que lo hace, con minuciosos detalles sobre el juego y sus protagonistas. A los clubes en los que ha jugado no les gustaría en absoluto y seguramente le acusarían de incumplimiento de contrato. A su agente tampoco le haría ninguna gracia y los mánager se pondrían hechos una furia.

Cuenta lo que sintió al marcar un gol contra el Mánchester United; explica cómo reaccionó cuando John Terry le dio un codazo en la cara: «le di una patada por detrás con tanta fuerza que se desplomó»; describe con todo lujo de detalles cómo era su vida cuando tenía un contrato de un millón cuatrocientas mil libras anuales (y una hipoteca de diecinueve mil) y el «sinfín de posibilidades recreativas» a las que le abrió las puertas. Los tiburones, los sobres, los tratos, las enrevesadas primas, los mánager malintencionados y comprensivos, los compañeros que le apoyaron y los atormentados y atemorizados, los medios de comunicación, las mujeres y el alcohol aparecen en estas páginas, en una progresión que va de lo divertido a lo espantoso.

Sin embargo, el Futbolista Secreto es diferente. Lo que le hace único hay que buscarlo en su infancia. Habla de su pasado de clase obrera y de las zapatillas de deporte heredadas con las que empezó a jugar. Cuenta con una familia cariñosa que siempre le ha apoyado y un padre que le animó a leer a los clásicos: Shakespeare, Dickens, Joyce, etc. No llegó al fútbol por la vía habitual y tuvo que enfrentarse a la paradoja de haber realizado su sueño de ser futbolista y de tener que encarar reproches y frustraciones fuera del terreno de juego al mismo tiempo. Esa tensión está presente en su determinación por no perder sus raíces cuando empezó a gustarle el buen vino, el arte y las vacaciones lujosas. Una presión que fue acumulándose hasta transformarlo en una persona insegura, retraída e imprevisible que se vio obligada a pedir ayuda y a tomar medicación tras darse cuenta de que cuando volvía de los entrenamientos se sentaba en una silla y era incapaz de hacer nada. Todo eso forma parte de su vida.

Hace unos años, una columna del *Financial Times* escrita por un agente inmobiliario le introdujo en un mundo que muchos compradores y vendedores conocen, pero que, para los entendidos, es muy diferente: mucho más complejo, potencialmente peligroso y falso. La semejanza con el del fútbol era obvia. Este, un juego que ven millones de personas, se digiere y se analiza con toda minuciosidad en la prensa, la radio, la televisión e Internet. Los mánager y los futbolistas conceden entrevistas, los exjugadores escriben columnas y se debate incansablemente sobre tácticas, personalidades, dinero e intenciones. Pero ¿qué entendemos realmente de todo ello? La respuesta del Futbolista Secreto es sencilla: no mucho.

Ese fue el germen de su columna. Se puso en contacto con Ian Prior, jefe de la sección de deportes de *The Guardian,* y conmigo, y pensamos que tenía potencial. Pero ¿escribiría con sinceridad?, ¿qué se guardaría?, ¿podría ratificar sus afirmaciones?, ¿sabía escribir? Todas esas incógnitas se desvanecieron en el momento en el que recibimos el primer artículo, y desde entonces no ha dejado de mejorar. Este libro, que se publicó en el 2012, fue idea suya. Lo pueblan sus palabras, sus experiencias, sus pensamientos y sus sentimientos. Es un hombre extraordinario.

PAUL JOHNSON
Londres, agosto del 2013.

PALABRAS DE SU MUJER

Mi vida con el Futbolista Secreto

Cuando lo conocí, no tenía nada de nada. Creo que por eso hablamos tanto sobre lo que queríamos hacer en la vida. Tenía ilusiones, unas ilusiones mucho más grandes que el pueblo en el que vivíamos. Aunque lo que más recuerdo de aquellas conversaciones es que nunca me dijo que quería ser futbolista. Después me presentó a sus amigos y me dijeron que era muy bueno, pero siempre que le preguntaba a él cambiaba de tema. Estaba claro que no quería tener nada que ver con lo que más tarde describiría como el estigma de jugar al fútbol. Quería que se le aceptara por lo que decía o hacía.

El primer club importante que lo fichó tenía grandes planes para él, que no se limitaban a que jugara los sábados. Querían que fuera su imagen y que estuviera presente en las entrevistas, las recepciones corporativas y los actos patrocinados. Hasta ahí todo parecía de lo más normal, pero la situación cambió cuando varios miembros de la junta y algunos directivos decidieron presentarle a los prestigiosos amigos que iban a ver los partidos, porque sabían que no dejaría en mal lugar al club.

Al principio no mostró reticencia alguna a la hora de atender tales compromisos, pero enseguida se dio cuenta de que algo no iba bien. Me contó que lo único que querían era preguntarle cómo era tal o cual futbolista, y qué sentía al jugar contra ellos. Fue un momento decisivo en su vida: lo estaban utilizando y se rebeló.

Creyó que podría establecer una relación de trabajo con esas personas y que hablarían de arte y de otras aficiones compartidas. Sin embargo, le dejaron muy claro que solo les interesaba como futbolista, y eso le dolió. A partir de entonces se volvió extremadamente maleducado si no le contaban cómo se ganaban la vida. Les interrumpía a mitad de frase cuando le preguntaban sobre los partidos y le daba la vuelta a la conversación para dejar claro lo superficiales que eran por querer hablar de fútbol. Enfadó a gente muy importante del club. Creo que después ya no volvió a ser el mismo: se recluyó en un lugar muy oscuro. Nadie se atrevió a tratar ese tema con él porque en el terreno de juego era fundamental para el equipo. Se limitaron a dejarlo en paz y seguramente por eso nadie se percató de que sufría una depresión. Me dolió que empezara a tener fama de difícil, de ser un jugador problemático.

Cuando las cosas fueron a peor, no supo cómo encajarlo. Los aficionados se ensañaron con él, pero los que lo conocían sabían bien que le era muy difícil rendir al máximo en el terreno de juego. Le aconsejé que les explicara por qué se sentía así, pero no quiso escucharme. Una mañana me desperté y vi que lo había puesto por escrito. Al día siguiente, parecía estar mejor. No quería que la gente supiera que estaba enfermo, solo necesitaba desahogarse.

Jugar al fútbol en los niveles más altos era cumplir uno de sus sueños, pero creo que hace tiempo que se le había quedado pequeño. A veces me comenta que hace años que consiguió lo que se había propuesto y que debería haberse retirado entonces.

Después de los partidos me telefoneaba para decirme que no había podido concentrarse porque había tenido una idea y no quería olvidarla. Ahora las anota todas. Lo quiera o no, se deja llevar por la imaginación; en ocasiones, lo encuentro escribiendo a las cuatro de la mañana, hasta que dejan de tener efecto las bebidas azucaradas que ha tomado durante el partido.

Jugar al fútbol ha hecho que aplazara el resto de los proyectos que quiere llevar a cabo en la vida. Estoy segura de que esa fue una de las causas de su depresión. Odia que le digan a qué hora tiene que estar en algún sitio, porque siempre se ha rebelado contra la autoridad. Necesita que le dejen hacer lo que quiere hacer, cuando lo quiere hacer. Es muy egoísta, pero en esos momentos es cuando más feliz se siente. Es una persona creativa y, como todas ellas, sufre cuando se siente coartado.

Cuando me dijo que había tomado la decisión de dejar de jugar, me habló de todas las ideas que quería poner en práctica, como cuando nos conocimos, pero dejó muy claro que para poder seguir adelante tenía que aparcar su carrera futbolística.

Después de ponerse en contacto con *The Guardian* para proponer una columna anónima, me dijo que había estado hablando largo y tendido con Ian Prior y Paul Johnson sobre lo que le interesaba fuera del fútbol y que le habían pedido su opinión sobre diversos temas. Sabía que tenía algo que querían, como había ocurrido en el primer club en el que jugó, pero la diferencia era que esos periodistas lo llamaban para tratar temas que no tenían nada que ver con el fútbol. A veces, Paul quedaba con él solo para charlar.

A partir de entonces se convirtió en una persona diferente. Valora mucho que se fíen de él y, a pesar de que lo que le puso en contacto con esos nuevos compañeros fue el fútbol, se dio cuenta de que hay personas que sí prestan atención a sus ideas. Y lo que es más importante respecto a su futuro, no solamente vieron a un futbolista. Siempre ha sido algo más.

CAPÍTULO 1

PRIMEROS PASOS

Cuando empecé a jugar al fútbol para ganarme la vida, juré que nunca me convertiría en uno de los resentidos profesionales que mi nuevo club parecía coleccionar. No solo no me dieron ningún tipo de consejo o recomendación, sino que aprovechaban cualquier oportunidad para reprocharme los fallos o las meteduras de pata. En aquellos tiempos, no tenía ni idea de que los futbolistas iban a entrenar a las diez de la mañana y acababan a las doce. Recuerdo que después del primer entrenamiento me quedé en el vestuario y esperé a que alguien me dijera que podía irme a casa. Nadie te facilita un manual ni te pone al corriente del protocolo del fútbol. Eres, tal como dicen los mánager, o «espabilado», o demasiado inocente. En mi caso, estaba tan verde como mi juego.

Sigo creyendo que tuve la inmensa suerte de no pasar por todo el proceso de los equipos juveniles. Y lo digo por dos razones: primera, porque siempre he tenido problemas con cualquier persona que tuviera autoridad, sobre todo si abusa de ella para sentirse más importante de lo que realmente es; segunda, porque me gusta mucho más lo que se conoce como «fútbol de la calle». Un jugador prefabricado se ve a la legua, pero aquellos que tienen talento natural y a los que prácticamente no puede formárseles son los que de verdad emocionan. Por ejemplo, Lionel Messi y Wayne Rooney no necesitan preparación: juegan como lo hacían en la calle cuando tenían diez años. De acuerdo, quizá tengan que integrarse en un estilo de juego o en una formación, pero, en general, improvisan. No soy ni Messi ni Rooney —eso que quede claro—, pero durante gran parte de mi carrera jugué como si no tuviera nada que perder. Me encantaba enfrentarme a futbolistas que lo habían tenido todo muy fácil y después recoger la botella de champán que se regala al mejor jugador del partido.

Como era un recién llegado, me instalé en un rincón del vestuario, lejos de los jugadores con mayor influencia en el equipo, pero lo suficientemente cerca como para que el mánager notara mi presencia. Por desgracia, en mi primer día como profesional, un jugador escandinavo, uno de esos veteranos amargados, se tomó a mal el lugar que había elegido para cambiarme y tiró al suelo toda mi ropa cuando me fui al comedor. Al volver encontré todas mis pertenencias esparcidas por el pasillo y las duchas. Aquello me desconcertó: creía que un equipo era exactamente eso, un equipo, un grupo de personas que se cuidan las unas a las otras, se ayudan y juegan unidas. ¡Qué equivocado estaba! Si algo he aprendido, es que todos los jugadores tienen sus propios planes. Da igual que sea tu mejor amigo o un enemigo acérrimo, todos van a lo suyo. Cuando me di cuenta de que algunos jugaban al fútbol solo por el dinero y, lo que es peor, que muchos eran muy malos, me llevé una gran sorpresa. Pero también acrecentó la confianza en mí mismo.

De niño jugaba al fútbol de día y de noche, e incluso solía llevarme un balón a la cama para poder dar unos toques nada más despertarme, antes de ir al colegio. A la salida, todos los días veía la versión en vídeo de los *101 mejores goles* (en la portada de la cinta salía Bobby Charlton), e iba dando por conseguidos esos tantos conforme los recreaba en el parque, con los columpios atados a los postes, o en el jardín trasero, donde había dos castaños perfectamente situados que me proporcionaban más distancia para tirar desde lejos, como el trallazo de Emlyn Hughes para el Liverpool (no recuerdo con qué número jugaba, pero era uno de mis favoritos porque se le oía gritar como un loco después de marcar el gol).

Por eso quería jugar al fútbol: ofrecía la posibilidad de ser famoso y feliz, de escapar de la vida rutinaria que se lleva en un pueblo pequeño. Anhelaba ganar el Mundial. Tenía un álbum de cromos de Panini de 1986 que me regaló mi padre y me extasiaba mirando aquellos jugadores extranjeros vestidos con camisetas de rayas, futbolistas como Sócrates, el ruso Rats, Rummenigge y, por supuesto, Maradona. Era una puerta abierta al mundo entero, y eso me enganchó. Unos años después, llamaron a uno de mis compañeros de equipo para que jugara con la selección de Inglaterra, era el primero entre mis conocidos al que seleccionaban. Fue un momento muy especial para todos nosotros. No tardé en preguntarle cómo era. «Hay mucha calidad, colega. Te dan cincuenta mil solo por derechos de imagen».

¡Lo feliz que me hacía jugar al fútbol cuando era niño! Poder salir para dar patadas a un balón imaginando ser Ian Rush o Glenn Hoddle era lo mejor del mundo. Pero, a pesar de entregarme al fútbol, mi padre se tomó muy en serio mi educación, y no solo respecto al deporte que tanto le gustaba. Todos los que saben que soy el Futbolista Secreto, y son pocos, me han hecho la misma pregunta: «¿De dónde sacas esas extrañas y en ocasiones disparatadas entradillas de tus columnas?». Pues de la inmensa colección de clásicos de la literatura de mi padre, incluidos Shakespeare, Dickens y Joyce, y de sus vinilos de genios como los Beatles, Pink Floyd, Dylan, los Rolling Stones, etc. A diferencia de algunos de mis amigos, que iban a la playa de vacaciones, a mi padre no parecía importarle conducir hasta Dinamarca para pasar dos semanas en una granja, escuchando *rock and roll* de inspiración drogueta mientras leíamos a los clásicos en el asiento trasero. He de reconocer que para un niño de diez años no es lo más normal del mundo, pero no lo cambiaría por nada.

Tampoco es que fuera un estudiante modelo. Un día encontré unas notas del colegio que resumían mi comportamiento: «***** no escucha, no se entera de lo que se le enseña y por eso va tan retrasado». La posterior mejora en mi capacidad de atención solo consiguió evidenciar mi manifiesta incapacidad para interesarme por lo que me decían. Lo único que quería era jugar al fútbol: por la mañana, por la tarde y por la noche, y estaba convencido de que lo conseguiría. Mis padres me animaban y todos los fines de semana me llevaban a un partido. Jugué en los mejores equipos locales, tanto del condado como del distrito, además de en el colegio, y en la zona se decía que pertenecía a una añada de jugadores emergentes con mucho talento. Algunos llegaron a ser profesionales, otros optaron por dedicarse a trabajos respetables, y otros, como yo, no teníamos ni idea de qué haríamos si no triunfábamos en el fútbol. Conforme pasaban los años, las posibilidades de ser profesional me parecían tan factibles como llegar al final de la entrepierna de Kate Brookes durante las clases de Ciencias.

Cuando tenía quince o dieciséis años, algunos clubes profesionales eligieron a varios de mis compañeros de equipo, y la guinda la puso el que uno de ellos entrara en la academia del Tottenham (al cabo de dos años le rescindieron el contrato). A mí me hicieron algunas pruebas, y solía jugar bien, pero el que los ojeadores de este país no sean mánager o preparadores no fue de gran ayuda. Siempre que iba a esas pruebas, a los chavales que medían uno veinte los ponían en los extremos para que se pudrieran, mientras que los que medían treinta centímetros más que los demás los colocaban de defensas centrales, a pesar de que les dijeran a los ojeadores que eran centrocampistas o puntas. Pasaba una y otra vez. A mí me cabreaba mucho, pero aún más a mi padre, que tenía que ir a lo más recóndito del condado para ver jugar a su hijo de lateral derecho durante una hora, y otros quince minutos de extremo izquierdo.

La verdad es que la búsqueda de jóvenes para los grandes equipos no ha mejorado mucho. En los niveles más altos, la red jamás había sido tan grande ni había sido tan fácil conseguir una buena captura. Un amigo que lleva más de diez años siendo ojeador en uno de los clubes más importantes me dijo que, si quisiera, no tendría ni que salir de su oficina, porque los clubes que están por debajo del suyo en la pirámide futbolística lo llaman a todas horas para ofrecerle a sus mejores juveniles. «Cada año se ponen en contacto conmigo un poco antes, y los chavales son más jóvenes.» Y sabe de lo que habla.

A principios del 2012, el Chelsea pagó un millón y medio de libras por Patrick Bamford, un delantero que solo había jugado doce minutos en el primer equipo del Nottingham Forest. Frank Clark, presidente del Forest, hizo un comentario sobre cuánto habían cambiado las cosas: «Normalmente, conservábamos a los jugadores un par de años en el primer equipo, pero ahora los grandes clubes pagan auténticas fortunas por chavales de trece, catorce, quince o dieciséis años». Lo más preocupante es que mi amigo admite que ni siquiera tiene que acertar: «Para cumplir me basta con adelantarme al resto de los equipos grandes. Si después no juega con regularidad en el primer equipo, es culpa del entrenador, no mía».

Cuando se trata de famosos, todavía es más fácil. Hace unos años estuve hablando con un amigo que era el jefe de ojeadores de uno de los mejores equipos de la Premier League. Estábamos tomando café y le pregunté qué tal le iba la vida. Su equipo acababa de ganar el campeonato y creí que estaría feliz y contento, pero su respuesta me pilló completamente desprevenido. «Todos los años es lo mismo, colega. Cuando el mánager y los preparadores reciben el presupuesto de los dueños, decidimos los posibles traspasos. Me miran y me dicen: "Necesitamos un mediapunta". Y yo contesto: "Están Totti, Kaká y Ronaldinho"». No he sido nunca jefe de ojeadores, pero si algún día me ofrecen ese puesto en un club de los grandes, no creo que el trabajo sea agotador.

En mis intentos por destacar, me resultaba muy duro ver que los clubes profesionales elegían a mis compañeros de equipo. No creía que fueran tan hábiles como yo; quizá si eran más fuertes y seguramente tenían mejor constitución física a los quince años, pero no eran tan buenos con el balón. Por desgracia, en aquellos tiempos, los clubes parecían más interesados en los atributos físicos que en la capacidad técnica.

Tuve suerte de que mientras que muchos de mis compañeros «experimentaban» el mundo de las drogas, a finales de los noventa, yo conseguí, al menos mentalmente, alejarme de ellas. Había tomado la decisión de que, hiciera lo que hiciera en la vida, no desperdiciaría gran parte de ella en la ciudad en la que vivía, en la que nunca ha pasado nada digno de mención. Mientras planeaba mi huida (una semana antes de la fecha que me había fijado para abandonar el país), un ojeador llamó a mi madre para preguntarle si su hijo estaba interesado en ir a un partido de prueba la semana siguiente. En aquel momento no estaba jugando en ninguna liga y cobraba unas treinta libras a la semana. Más tarde me enteré de que mi mánager lo había llamado para decirle que tenía potencial como para merecer una segunda opinión, siempre que el club estuviera dispuesto a dedicarme el suficiente entrenamiento extra como para convertirme en un buen profesional.

No recuerdo bien aquel partido. La opción de lo que había imaginado como libertad seguía presente en mi cabeza, así que cuando en el descanso el mánager me paró en el túnel y me dijo: «Cancela las vacaciones, vamos a ficharte», el que hubiera comprado un billete de ida a San Francisco y estuviera pensando en los artículos de aseo que me faltaban por comprar empañaron la alegría que sentí.

He pensado en ese momento prácticamente todos los días de mi vida. ¿Qué habría pasado si hubiera tenido el valor de rechazar la oferta? A pesar de haber querido jugar en el fútbol profesional desde que aprendí a andar, había vivido lo suficiente como para saber que, cuando uno se ata a algo, es muy difícil recuperar la libertad. ¿Dónde estaría ahora? ¿Habría ganado medallas y habría disfrutado de mis quince minutos de fama por haber hecho algo bien? ¿Habría sentido esos intensos momentos de pura alegría después de marcar un gol o ganar un partido crucial? Aunque las verdaderas preguntas que debería hacerme son: ¿habría tenido más amigos de verdad si solo me hubiera ausentado un fin de semana en los últimos doce años? ¿Habría ido a la boda de mi mejor amigo, en la que tenía que ser el padrino, en vez de que me mareara el Arsenal? ¿Habría estado presente en los entierros a los que no fui y en los que nunca se perdonó mi ausencia? ¿Estaría tomando antidepresivos como hago ahora? ¿Habría enfadado a tanta gente solo porque no quiero ser como ellos? ¿Sabría valorar mi vida en términos reales, en vez de en función del dinero y el éxito en el terreno de juego? Quién sabe. Tal como dijo alguien, el fútbol era mi juego favorito.

Sin embargo, firmé (quinientas libras a la semana era una fortuna para mí) y me dediqué a mi nueva carrera con la abrumadora sensación de que habían dejado entrar a un intruso en su sanctasanctórum y de que quizá no deberían haberlo hecho. Una vez dentro, nadie podía hacer nada por remediarlo. Aún tengo esa sensación.

Para ser sincero, en un principio pensé que había cometido un tremendo error. El equipo tenía muy poco nivel, algunos jugadores eran odiosos y desconocía por completo ese tipo de vida. Por la tarde pasaba infinidad de horas sentado en casa sin saber qué hacer y, al día siguiente, cuando iba a entrenar, me sentía rechazado por ser «diferente», aunque sigo sin saber qué significa tal cosa. Como no tenía experiencia con las «bromas» de los jugadores, los más bocazas me machacaban a todas horas. Sus burlas incluían decir «shhh» cada vez que intentaba hablar, hasta que finalmente me daba por vencido, o pedirme que me quitara la gorra mientras comíamos porque, según ellos, contravenía las normas del club. En una ocasión, me robaron el móvil y le enviaron un mensaje de texto al mánager en el que le daba las gracias por la noche anterior.

Recuerdo que un día estaba en el vestuario antes de un entrenamiento y uno de los veteranos empezó a hablar del «pase al tercer jugador». Como no había oído nunca esa expresión, pregunté inocentemente si podían explicármela. Me miraron escandalizados. Uno de los jugadores más amargados, que en ese momento no jugaba ningún partido, rompió el silencio que se impuso para decir: «No me extraña que no ganemos si fichamos a mierdas como este».

También se me quedaron grabados otros incidentes. Algunos de los veteranos me pasaban el balón con tanta fuerza como podían para que no pudiera controlarlo, aunque después me enteré de que ese tipo de rito iniciático es muy habitual en todos los niveles. El primer día que Dwight Yorke jugó con el Manchester United, Roy

Keane le hizo un pase deliberadamente fuerte para que el delantero no lo pudiera aprovechar. «Bienvenido al United —le dijo Keane—, Cantona se comía a los recién llegados.» Por mucho que me molestara lo que me hacían los veteranos, surtió efecto, porque llegaba el primero a los entrenamientos y me iba el último. Reforzó mi decisión de ser mejor que ellos y superarlos.

Al cabo de seis meses ya había demostrado que tenía suficiente capacidad para estar en ese nivel. La calidad de mi juego era constante y solía llevarme el premio al mejor jugador del partido (no podíamos permitirnos champán, era simplemente una foto con el patrocinador y una felicitación en el programa del siguiente partido en casa). Empezaba a forjarme una reputación, lo que supuso que los que al principio me hacían la vida imposible empezaran a dejarme en paz. En esos tiempos, el mánager aún tenía poder para deshacerse de los jugadores veteranos, y mi estatus en el vestuario pasó de inexistente a sobresaliente. Había recorrido un largo camino desde el día de mi debut, cuando oí que uno de los aficionados me llamaba por mi apellido. Tonto de mí, creí que era alguien que me conocía y me di la vuelta. Entonces, toda la grada gritó «¡Gilipollas!», antes de echarse a reír como locos. Me había olvidado de que los jugadores de ese nivel llevan el apellido estampado en la espalda.

Con todo, el día a día de los futbolistas seguía sin convencerme. Me gustaban los partidos, aunque no fuéramos los mejores ni por asomo, pero entre semana no tenía nada que hacer, aparte de quedarme en casa y leer o ver la televisión. A menudo, me quedaba en el club todo el tiempo que podía, por hacer algo. Pasaba largas horas tirando con el balón hacia una pared en la que había dibujado unos cuadros numerados. En ocasiones, jugábamos entre nosotros, había que acertar seis casillas en orden, y el primero que lo conseguía ganaba cinco libras. Pero tampoco había mucho que hacer en el club en un día cualquiera. Las instalaciones eran muy básicas: teníamos una pista para jugar al tenis con la cabeza que era una trampa mortal, pues estaba rodeada de alambre de espino, y un aparcamiento que hacía las veces de terreno en el que practicar los pases largos (lo empleamos hasta que rompí la ventanilla del coche del mánager y ya no pudimos utilizarlo más). Mis pases largos han mejorado mucho desde entonces, pero la factura de ciento ochenta libras por un simple trozo de cristal sigue pareciéndome excesiva.

La mayoría de los días nos reuníamos en el estadio antes de ir al campo de entrenamiento. Como no tenía coche, solía ir con un compañero que se sentaba a mi lado en el vestuario y con sus amigos. Eran un grupo muy unido de jugadores negros y tenía que soportar un horrible *rhythm and blues* durante el trayecto, pero les caí bien y me nombraron «hermano honorario». Aquella acreditación significaba que, si tenía algún problema, me cubrirían las espaldas y que, si cometía un error, me lo dirían. Cuando la situación llegó hasta el extremo de que estaba a punto de dejar el club y buscar nuevos horizontes, hicieron algunas llamadas a sus antiguos clubes. Estoy en deuda con ellos por todo lo que me enseñaron.

Ese grupo de jugadores hacía algo que resume bien la diferencia entre acoso y bromas. Una vez a la semana, uno de ellos llegaba pronto al vestuario e improvisaba una peluquería. Después cortaba el pelo o peinaba al resto de los jugadores negros mientras leían revistas. Fuera de ese grupo yo era el primer jugador que daba por sentado que habíamos intimado lo suficiente como para hacer algún chiste. «¡Joder, ya está otra vez aquí Desmond!», decía, o cogía las tijeras y fingía que cortaba el pelo del que estuviera en la silla mientras imitaba al peluquero de *El príncipe de Zamunda:* «Siempre que se habla de boxeo, los blancos sacan a relucir a Rocky Marciano, ¡cómo no! ¡A la mierda, a la mierda y a la mierda! ¿El siguiente?». Imagino que se reían por pena, mis imitaciones no eran nada del otro mundo, pero venía bien para las relaciones entre razas. Un día entré, cinco de ellos se abalanzaron sobre mí armados con tijeras y empezaron a cortarme el pelo, todo.

Cuando empecé a ser más conocido, los beneficios de ser un futbolista profesional fueron haciéndose patentes. En aquel tiempo, ya me había ido de casa y me fui a vivir cerca del compañero con el que viajaba. Como el club no tenía mucho dinero, teníamos que desplazarnos a los partidos de fuera de casa el mismo día del encuentro, algo impensable en los equipos de mayor categoría. Solíamos volver tarde, a veces a las dos o las tres de la mañana, dependiendo de dónde hubiéramos jugado. Nos metíamos en el coche y recorríamos las veinte millas o lo que hubiera de camino de regreso. A esa hora, las calles estaban prácticamente vacías y nos solíamos saltar los semáforos en rojo y cruzábamos la ciudad a bastante velocidad. Sin embargo, un día nos paró un motorista y, al temernos lo peor, preparamos una excusa. No nos hizo falta. En cuanto nos vio con los chándales del club, nos felicitó por el resultado del partido y nos escoltó hasta el otro extremo de la ciudad.

Desde entonces tuvimos escolta policial hasta la carretera nacional más próxima después de prácticamente todos los partidos de fuera de casa. Nos esperaba hasta que llegábamos al estadio, charlábamos sobre el resultado, el club y el fútbol en general, y después nos acompañaba hasta que salíamos de la ciudad para que no tuviéramos ningún percance. Supongo que en esa parte del mundo era lo mejor que le podía pasar a un policía durante el turno de noche, y nosotros le estábamos muy agradecidos. Recuerdo que hablamos muchas veces sobre compensarle por su ayuda, más allá del kebab que siempre le ofrecíamos cuando parábamos para cenar. Finalmente, decidimos regalarle una insignia del club (el dinero todavía escaseaba). Nos causó un placer especial vérsela en la chaqueta del uniforme durante todo el tiempo que estuvimos en el club. Seguro que todavía la lleva.

Al recordar aquellos tiempos, me doy cuenta de por qué ser prácticamente un don nadie hacía que jugar al fútbol fuera mucho más divertido. Nadie nos presionaba, ni al club ni a mí, para que consiguiéramos mejores resultados, pero ansiaba tener éxito; una fantástica combinación que no me importaría volver a experimentar. El mánager sabía que cometería errores, al igual que los aficionados, pero siempre he querido ser perfecto, y, mientras me mantuviera entre ambos extremos, sabía que iba por el buen camino. Sin embargo, en ocasiones jugaba de maravilla y muy pronto el club se me quedó pequeño.

En la actualidad, ser un profesional curtido en ese tipo de situaciones no me produce tristeza, amargura o envidia, sino que intento ayudar siempre que puedo para que la próxima generación de jugadores mejore, aunque a veces resulte frustrante comprobar que no saben hacer cosas que los veteranos damos por sentadas.

Hace unos años pensé seriamente en abandonar el fútbol y dedicarme a mis otras pasiones, pero tuve un momento de lucidez que me obligó a replanteármelo. A veces, cuando hay muchos partidos y no se ve a la familia, cuando no se está jugando especialmente bien y los resultados no acompañan, uno se agobia. Más tarde me di cuenta de que aquello había sido un atisbo de depresión y que mi respuesta había sido pensar que sería mucho más feliz haciendo otra cosa. Una vez, en el túnel de Anfield, en un partido contra el Liverpool, experimenté lo que Marcel Proust describe como «un recuerdo del pasado». Cuando el preparador nos dio un balón a cada jugador, lo levanté y lo olí. No me preguntéis por qué, como profesional no lo había hecho nunca ni he vuelto a repetir ese gesto. El balón era nuevo, seductor. Aquel olor me devolvió a la casa de protección oficial y al día en que mi madre y mi padre me regalaron mi primer balón de reglamento, un Adidas Tango. Todo el mundo conoce ese olor. En ese momento, recordé las razones por las que siempre había querido jugar, olía a tiempos felices e intimidad. Cuando el alboroto en el terreno de juego se hizo más intenso y los familiares primeros acordes de *You'll never walk alone* (*Nunca caminarás solo*) llegaron hasta el túnel, quise retener ese momento tanto como pudiera.

A menudo, se dice que el noventa y cinco por ciento de lo que sucede en el fútbol se realiza a puerta cerrada, pero, creedme, la realidad supera a la ficción. Puede que nos veáis jugar noventa minutos un sábado y que baséis vuestra opinión sobre el fútbol en esa fugaz aparición. Quizás escuchéis a los analistas perorar sobre tácticas sin daros cuenta de que lo que dicen está preparado para que encaje en un tipo de discurso que apenas profundiza en el tema. A lo mejor habéis leído en los periódicos sensacionalistas algo sobre las infames fiestas de Navidad y dudéis sobre si de verdad son tan alocadas como os intentan hacer creer. Puede que simplemente no entendáis por qué se deprimen unos jóvenes y, en apariencia, sanos atletas que parecen tenerlo todo. A lo mejor habéis visto a alguna novia o mujer de futbolista en televisión y os hayáis preguntado cómo viven realmente. Tal vez siempre os ha sorprendido que un jugador rinda poco en un club y destaque en otro. ¿De verdad hay un trasfondo racista en el fútbol moderno? ¿Qué importancia tienen el mánager y el capitán? ¿Son parciales los árbitros y asistentes con los grandes equipos? ¿Qué piensan realmente los jugadores de los comentaristas de televisión, la Football Association (FA) y la FIFA? ¿Qué ganancias obtienen los jugadores extranjeros o los representantes el último día del mercado de fichajes? ¿Cómo se asignan las primas a los jugadores? ¿Qué importa más, el dinero o las copas? ¿Qué pensamos los jugadores de vosotros, los aficionados?

La única forma de conocer las respuestas a muchas de estas preguntas es leer un libro escrito de forma totalmente anónima por un futbolista que jugó en el nivel más alto. En estas páginas, intento explicar cómo funciona el fútbol, lejos de miradas indiscretas del mundo exterior, basándome en mi experiencia. No debería contaros muchas de estas historias, pero lo haré.

CAPÍTULO 2

LOS MÁNAGER

¿Qué es ser un buen mánager? He jugado para algunos excelentes, pero también para uno o dos que eran tan malos que tranquilamente habría fingido estar muerto para no trabajar con ellos ni un minuto más. Los mejores se ganan la confianza absoluta de sus jugadores, consiguen que te levantes en cuanto entran en el vestuario y tienen una filosofía de juego que se acepta con entusiasmo y se plasma en el terreno de juego con ánimo y convicción. Pero lo más importante es que todo el club lo respete.

Las cualidades más sencillas son las que más se valoran. Los jugadores quieren un mánager que sea consecuente y honrado. A nadie le gusta mirar desde la banda, pero una explicación de por qué no se está en el terreno de juego, en especial si acaban de sustituirte, ayuda a mitigar el enfado. Los jugadores le respetarán por cambiarlos, incluso si no están de acuerdo con la decisión. Este tipo de aptitud para la dirección les transmite el mensaje correcto, los mantiene unidos y, gracias a ello, consigue lo mejor de un equipo. Cuando sucede lo contrario, el descontento se encona y empiezan a correr rumores de que «ha perdido el vestuario». Eso en realidad no sucede, al menos no con tanta frecuencia como algunos querrían hacernos creer, pero sí que hay situaciones en las que el equipo al completo deja de respetar al mánager. Lo sé por experiencia. En aquella ocasión, se debió a la creencia conjunta de que las tácticas eran erróneas, nos hacían quedar como malos jugadores y, a su vez, perder partidos. A pesar de que a veces se utilizan como chivo expiatorio, en aquella ocasión nuestro descontento estaba plenamente justificado.

Los jugadores se someten a medidas disciplinarias, pero a los mánager no se les multa ni reciben avisos por escrito. Los jugadores simplemente dejan de esforzarse en los entrenamientos y en los partidos, y se desmoralizan. Hace poco, un amigo me dijo que en su club las cosas iban tan mal que un grupo de jugadores había empezado a especular sobre la posibilidad de que fuera una estratagema del propio mánager para que le despidieran. Al fin y al cabo, ¿dónde, aparte de en la banca, te pueden dar una indemnización multimillonaria por un fracaso? Aquello me hizo pensar en alguien que quizás había hecho lo mismo.

No es necesario querer a los mánager. Conozco a futbolistas que odian a su jefe, pero siguen jugando muy bien a sus órdenes. A su vez, conozco a uno o dos mánager que han tenido que soportar un montón de tonterías de jugadores que son importantes para el equipo. Se trata de tenerse respeto mutuo, no de quererse.

Algunos futbolistas quieren ser mánager, pero algunos de estos siguen queriendo ser jugadores. Recuerdo un club en el que me multaron por ir con unos amigos a un pub mientras estaba lesionado. A pesar de que era un martes por la noche y no había infringido la norma de no estar en locales que vendan alcohol cuarenta y ocho horas antes de un partido, el mánager alegó que el alcohol retrasaría mi recuperación. Me multó con dos semanas de sueldo. No protesté, pero, en cuanto salí de su despacho, se convirtió en el jugador que había sido y, con una enorme y estúpida sonrisa en los labios, me preguntó: «Por cierto, ¿tuviste suerte anoche?». Solo le interesaba enterarse de si había acompañado a alguna chica a casa, a pesar de que sabía que tenía novia desde hacía tiempo. Al final le molestó más que no tuviera ninguna historia que contarle que lo que había provocado la multa. Aquel día nos perdimos el respeto, pero por distintos motivos.

A menudo, me preguntan por las multas. Hay gente que parece muy preocupada por el dinero que ganan los futbolistas, y supongo que las multas forman parte de ese desasosiego. No recuerdo con exactitud cuántas multas me han impuesto en los clubes que he representado, pero no son más de media docena. Y en cuanto a las veces que he tenido que aflojar pasta destinada al bote de los jugadores para pagar una fiesta de Navidades o una juerga de final de temporada…, bueno, esas han sido cientos.

Las multas pequeñas que acaban en el bote de los jugadores van de veinte a doscientas libras y se imponen por cosas como dejar una botella de agua o parte del equipo en el campo de entrenamiento (ambas tienen el número que llevas en la camiseta) o llegar tarde a un entreno. Aunque tampoco es raro que en un club de los grandes se imponga una megamulta de hasta dos mil libras por una falta en particular, todo depende del tipo de falta al que los jugadores quieran aplicársela. En un club en el que jugué había un compañero que siempre llegaba tarde a entrenar y acordamos que eso suponía una multa de quinientas libras. Siguió llegando tarde, con lo que acabó haciendo una importante contribución al alquiler de un avión particular para la fiesta de Navidades. Quizá creáis que era excesiva, pero los retrasos, en mi opinión y en la de muchos otros jugadores, son innecesarios e irrespetuosos respecto a todo el equipo.

Durante mucho tiempo me negué a pagar multas. No entendía cómo podían quitarme dinero sin que estuviera estipulado en un contrato legal y vinculante. Para mi gran alegría, en un club las abolimos temporalmente, pero aquello solo sirvió para que se relajaran las conductas. Muchos de los jugadores empezaron a no tomarse nada en serio: llegaban tarde y mostraban su falta de respeto dejando deliberadamente sus cosas en el campo de entrenamiento para que lo recogieran otros, o aparcando donde les venía en gana. Ni siquiera acudían a las juergas para fomentar el espíritu de equipo, que, lo creáis o no, son importantes a la hora de integrar a los nuevos jugadores. Al cabo de un tiempo, empecé a desear que pudiéramos multarlos para darles una lección. Ese sistema funciona.

Las multas oficiales que podrían considerarse cuantiosas son más bien escasas y solo se imponen si se comete una absoluta y evidente violación de las reglas del club. Conozco a un par de jugadores a los que los multaron con una semana de sueldo por no acudir a la visita anual al pabellón infantil del hospital local en Navidades. Por desgracia, prefirieron pagarla que ir.

Recuerdo que en una ocasión fiché por un club; como no encontré el balneario al que había ido el equipo ese día (en aquellos tiempos no había GPS), me fui a casa. Al día siguiente, el mánager me preguntó qué multa debía imponerme. «Lo justo sería el equivalente al día que he perdido, jefe», contesté (merecía la pena intentarlo). «No cuela. Si ni siquiera eres ecuánime en esto, tendrás que darme la paga de cinco días», sentenció. Aquella lección me costó doce mil libras.

La multa más injusta de todas (es mi opinión y no existe una lista oficial ni nada parecido) me la impusieron hace algunos años, cuando había roto todo tipo de relación con un mánager y apenas nos hablábamos. Intentó multarme por los despistes más insignificantes, una práctica muy habitual cuando se intenta despedir a un jugador. Cuando un futbolista llega a ese punto en un club, no es raro que empiece a hacer tonterías como ponerse malo de vez en cuando, pero en aquella ocasión estaba realmente enfermo y necesitaba estar al lado de un servicio a todas horas. Me encontraba fatal, no había dormido en toda la noche, y por la mañana llamé al fisioterapeuta para decirle que no iría al entrenamiento. Cinco minutos más tarde, después de haberle transmitido nuestra conversación al mánager, me devolvió la llamada: «Lo siento, colega, pero quiere que te vea el médico del club». Después, el médico me confesó que le había obligado a abandonar su consulta pensando que yo no aparecería, para así poder multarme por hacerle perder el tiempo y por fingir una enfermedad. «No puedo ir, tengo diarrea. No conseguiré estar media hora en el coche», argumenté. El fisioterapeuta se lo comunicó al mánager, pero mi respuesta cayó en saco roto y me dijo que, a menos que fuera a las diez de la mañana para ver al médico, me multarían con una semana de sueldo. Solo en el fútbol se puede amenazar a un empleado con una multa por estar enfermo.

Me arrastré hasta el coche provisto de unos calzoncillos extra y una toalla para sentarme encima (no había por qué manchar la tapicería) y arranqué. Diez minutos después hice la primera de cuatro paradas en el arcén de la autopista, para gran cachondeo de los conductores, antes de llegar al campo de entrenamiento, a las once menos veinte.

Entré y fui directamente a la sala del fisioterapeuta. «¡Santo cielo! ¡Vaya aspecto que tienes!», comentó cuando fui dando traspiés hasta dejarme caer en una de las camillas de masaje. Vino el médico, me miró, me palpó el estómago y diagnosticó que tenía gastronosequé. Entonces el mánager asomó la cabeza por la puerta y le preguntó con mirada expectante: «¿Está enfermo?». «¡Y tanto que lo está, jefe!», respondió el médico. «Ok —aceptó el mánager antes de volverse hacia mí—. Entonces es mejor que te vayas a casa y te metas en la cama antes de que contagies a los demás. Por cierto, has de pagar una multa de mil libras por llegar tarde esta mañana.» Preferí no decir nada.

Entonces todavía era joven, pero, cuando se cumplen años y se pasa a ser uno de los veteranos, las cosas cambian. De vez en cuando, el mánager te pide tu opinión, pero, como uno es consciente de la posición en la que está, es mucho más difícil decir lo que realmente se piensa.

Durante el proceso de contratación de mánager en uno de los clubes en los que jugué, los directivos me pidieron que me reuniera con ellos para estudiar los posibles candidatos. Es algo poco habitual y, tal como les dije, muy incómodo para un jugador. Imaginaos que estáis en una sala con un grupo de ejecutivos y os piden dar «vuestra opinión» sobre posibles jefes: es una situación que invita al desastre. Supe que tanto el nuevo mánager como el resto de los candidatos acabarían enterándose de lo que hubiera dicho, así que incluso los que no son santos de mi devoción recibieron comentarios elogiosos.

La verdad es que lo último que necesita un mánager es que sus jugadores tengan la última palabra, sería su perdición. Al mismo tiempo, tampoco quiere distanciarse del equipo antes de ni siquiera hacerse un hueco. A menudo, la primera semana de su reinado es bastante discreta. Estrecha manos e intercambia cumplidos mientras observa los entrenamientos de lejos y no pierde detalle del juego y del comportamiento de cada futbolista.

Algunos jugadores se desviven por besarle el culo, pero yo, incluso a pesar de hacerme mayor y ser más consciente de que ese hombre reparte los contratos, sigo negándome a quebrantar mi código ético. Sin embargo, sí que me preocupo de charlar con él sobre fútbol, al tiempo que menciono nombres poco conocidos y resultados en el extranjero para demostrarle que conozco el mundillo, porque tengo mucho interés en conseguir un trabajo de ojeador-entrenador cuando me retire como futbolista.

La suerte de un club que cambia de mánager suele experimentar un inmediato cambio de rumbo. No voy a decir que las tácticas no tengan nada que ver, pero cuando oigo que un comentarista dice «los ha organizado», refiriéndose a la mejora en resultados del equipo, siento vergüenza ajena. A menudo, tiene poco que ver con las horas que se entrene y mucho con el interés que demuestren los jugadores.

La indiferencia que haya mostrado previamente un equipo puede deberse a que los jugadores se han sentido tan cómodos con el mánager que se han relajado mental y físicamente. Algo que queda patente cuando se les oye decir: «He llevado este equipo tan lejos como he podido», que más o menos viene a significar: «Este grupo de jugadores ya no me teme ni me respeta y, básicamente, ya no les motivo».

El mayor error que puede cometer un mánager nuevo es intimar demasiado con los jugadores para ganárselos. Tuve uno que nos contaba chistes cuando saltábamos al terreno de juego y después nos echaba la bronca por ir perdiendo por un gol en el descanso. Aquello olía a doble rasero, y ese fue el motivo por el que nunca se ganó el respeto que unos jugadores con sueldos desmedidos y egos desmesurados han de tenerle a un mánager. Hay mejores maneras de congraciarse con ellos.

Un nuevo mánager ha de dejar clara su autoridad rápidamente, y para conseguirlo a menudo sacrifica a un jugador, tal como sucedió en uno de mis clubes. Poco importa que ese futbolista sea bueno y caiga bien (de hecho, ese tipo de jugador es su objetivo preferido). Normalmente, le deja en ridículo durante el entrenamiento y lo utiliza como ejemplo a la menor ocasión, antes de enviarlo a entrenar con los juveniles y hacerle el vacío en el primer equipo. La idea es dejar bien claro quién es el que manda.

No me gusta ese método, es completamente innecesario y prueba una absoluta falta de capacidad para dirigir equipos. Un amigo mío sufrió ese tipo de tratamiento en la temporada 2011-2012 y, creedme, no era nada agradable hablar con él durante ese tiempo.

El éxito de técnicos como Arsène Wenger, José Mourinho, André Villas-Boas y Brendan Rodgers también ha convencido a los jugadores que creían que los únicos que merecían la pena eran los que habían ganado algo como futbolistas. La verdad es que muchos no aportan nada durante los entrenamientos, y hay más de uno que lo deja todo en manos de los preparadores, en especial si les caen bien a los jugadores y los respetan. Sé de un exjugador del Mánchester United convertido en mánager que tiene fama de aparecer solamente en los partidos de los sábados.

No hace mucho me tropecé con un conocido en una playa del Caribe (había ido a un torneo de veteranos, que básicamente es una juerga de abuelos en un país soleado, cortesía de un patrocinador que quiere conocer a sus héroes) y me invitó a tomar una copa en el bar del hotel. Acudí sin saber que me iba a «confesar» que ser mánager no era en absoluto lo que había imaginado. Llevaba años soñando con serlo, pues su carrera no había sido precisamente espectacular. Le gustaba el fútbol y estaba convencido de que tenía mucho que ofrecer si le daban el puesto. Se había sacado todos los títulos habidos y por haber, incluida la licencia profesional, que cuesta unas cinco mil libras.

No llevaba ni un año en su primer trabajo como técnico y ya se había dado cuenta de que había cometido un error. «No creía que hubiera tanto que hacer. Sabía que sería difícil y que vería menos a mi familia, pero al final no la veía nunca, porque a las diez de la noche, tras colgar por fin el teléfono, tenía que meterme en una habitación oscura para ver jugar al Elfsborg contra el Malmö e intentar encontrar un jugador.»

Un mánager ha de hacer lo que se espera de él: solventar situaciones y problemas, ya sea con personas, obligaciones, medios de comunicación, expectativas o lo que sea. Cuando le sugerí que quizá tenía reparos a la hora de delegar (si están con la moral baja puedes darles la puntilla, es lo que siempre me enseñaron), aceptó que era una crítica positiva, pero también me recordó que yo no había sido nunca mánager.

Lo menciono porque quizá cometa el mismo error si algún día decido cambiar de profesión. Me resulta muy difícil confiar tareas de responsabilidad a otras personas, porque nunca hacen lo que haría yo en esas situaciones y las interpretan a su manera. Si se quiere controlar todas las decisiones que se toman en un club, me temo que no se ve a la familia ni la luz del día.

Conocí un mánager de ese tipo. Era una persona obsesionada con el control que contaba con todo el personal que pudiera desear, pero no les dejaba hacer su trabajo, a pesar de que tenían mucho talento. El que más pena me dio fue el científico del deporte, que diseñó un programa para que luego lo usurpara un hombre que no tenía ni idea de ciencia del deporte. Lo mismo pasó con el chef, al que prohibió cocinar con sal. Como dicen, saber poco es muy peligroso.

Aunque, al mismo tiempo, el éxito o el fracaso también dependen de la forma en que un mánager pone en práctica ese rasgo del carácter. Un amigo que jugó en el Chelsea a las órdenes de Mourinho me contó que en una gira de pretemporada en Estados Unidos, el patrocinador, Samsung, había organizado una sesión fotográfica con el equipo. Cuando Mourinho se enteró de que

Samsung no había previsto regalar nada a los jugadores, les indicó que volvieran al autobús. Tras un ataque de pánico, seguramente entre los relaciones públicas de Samsung, se acordó que hubiera una caja llena de sus artículos esperando a cada jugador cuando regresaran a Inglaterra. No sé si será verdad, pero es lo que me contó, y no tenía motivo para mentirme. Me gusta pensar que la historia es cierta, porque refleja muy bien el carácter de Mourinho. Si un mánager hiciera eso por mí, más allá de los regalos, me dejaría claro que está con nosotros y le respaldaría. Me encantaría jugar para un hombre así, y me esforzaría.

Lo que no quiere decir que los futbolistas no tengan responsabilidades hacia sus clubes. Las empresas como Samsung pagan fortunas por el derecho a rentabilizar su patrocinio a los equipos de fútbol de la Premier League y redactan contratos muy rigurosos con los que se aseguran el acceso a los jugadores. Sin embargo, a veces no queda muy claro —en especial para los jugadores— lo que se guisa a su alrededor.

Recuerdo que en una ocasión me di cuenta de que unas vacaciones que disfrutamos en un lugar cercano a Ecuador eran, en realidad, una descarada maniobra del mánager para hacer contactos. El que llegáramos a un flamante hotel de lujo en primera línea de playa fue la primera indicación de que estaba pasando algo raro. Nos hicieron fotografías con lo que me parecieron los mil quinientos empleados de aquel establecimiento y después fuimos a bañarnos al mar para aliviar el desfase horario. Aquella noche, nos invitó a cenar un grupo de adinerados anfitriones, que resultaron ser los dueños del restaurante que habían pagado los billetes en clase preferente de todo el equipo.

Aquellos tipos empezaron a aparecer una y otra vez durante nuestra estancia, siempre en un restaurante, centro comercial, hotel o club nocturno de su propiedad, en los que nos hacían fotos junto al nombre del establecimiento. La clientela que un club de la Premier League proporcionó a todas esas empresas debió de ser enorme, así que dejad que os diga lo que pienso. Para mí que ese mánager pasa sus vacaciones todos los años en ese hotel y lo seguirá haciendo hasta el día de su muerte. También me atrevería a apostar a que no paga por nada mientras se aloja en él. Aunque imagino que los negocios son así.

Me han llevado a todo tipo de actos que podáis imaginar, en los que me han fotografiado con el chándal del club sonriendo como un idiota sin tener ni idea de por qué estaba allí. Una vez el equipo estuvo todo el día dando vueltas por una fábrica de artículos de decoración y firmando autógrafos a los trabajadores. Que yo sepa, ninguno recibimos ningún mueble (tampoco es que los necesitáramos). Seguramente, al mánager tampoco le hacían falta en ese momento, pero, el día que los precise, estoy seguro de que le atenderán bien. Es probable que este tipo de cosas sucedan en todo tipo de niveles y en distintos grados, pero el éxito de un club en el terreno de juego a veces depende de que un equipo haga la vista gorda o se sienta decepcionado por su técnico.

La clave para mantener la confianza de los jugadores es tratarlos de forma que no se sientan degradados. Un amigo que jugó en el Manchester United me dijo que, incluso cuando sabía que tenía los días contados en Old Trafford, seguían tratándole con el mismo respeto que al resto del equipo. Aunque no es un caso aislado, tampoco es la actitud que adoptan todos los mánager con los que hemos jugado, tanto él como yo. La gratitud que siente hacia sir Alex por lo que hizo por su carrera, cuando le habría resultado más fácil no hacer nada en absoluto, es toda una lección de humildad. «Sé que si le llamo me dedicará todo el tiempo del que disponga.

Aunque haga una semana, un mes o un año desde la última vez que hablamos, recuerda el nombre de mis hijos y siempre pregunta por ellos.»

A propósito, otro amigo que juega actualmente en el United siempre se niega a comentar nada cuando le pregunto por Ferguson, y no le importa confesar que es por miedo, lealtad y respeto, en el orden que queráis.

Mantener alerta a los jugadores es un número de funambulismo que requiere confianza y respeto, y no organizar cuantas más juergas se pueda para caerles bien, sin importar los resultados, tal como creía uno de mis antiguos técnicos. Muchos futbolistas aprovechan cualquier síntoma de debilidad en un mánager y lo utilizan como excusa para sus errores cuando se empiezan a perder partidos. Estoy seguro de que todos nos acordamos de un equipo que encaja en este patrón, ganó la Champions League en el 2012.

Los mánager cuentan con una serie de ayudas que no se venden en el mercado de fichajes: recursos, oportunidad y suerte, por nombrar solo tres. Todos dejan su impronta, de una forma u otra. Hace unos años, uno de los primeros que tuve se tomó a mal el comentario que un jugador hizo en el vestuario, en un partido fuera de casa. Aquel día nos habían machacado, no solo en el marcador, sino en nuestro rendimiento, ante un equipo que parecía haber fichado a un montón de figuras.

Después de los partidos que se juegan fuera, el club anfitrión invita al equipo visitante a té y sándwiches, que normalmente deja en el vestuario antes del final del partido. Es curioso que sirvan lo mismo en Old Trafford que en el Colchester Community Stadium (a propósito, el Arsenal se supera y sirve medallones de pollo). Por desgracia para mi compañero, en aquella ocasión los habían servido en una bandeja metálica, que estaba muy cerca del mánager. Este se agachó, la cogió con la mano izquierda y la lanzó contra la cabeza del jugador que se había atrevido a dar una explicación de por qué habíamos jugado tan mal. Le pasó rozando, dejó marca en la pared y le llenó de cascotes de yeso. Si me la hubiera tirado a mí, se la habría devuelto con más fuerza, pero mi amigo permaneció sentado, seguramente aliviado, porque vete tú a saber lo que le habría hecho en la cara de haber acertado.

La presión se nota en los vestuarios todos los fines de semana. A veces es insoportable, porque, como todos sabemos, los mánager se encuentran entre las personas más fáciles de despedir del mundo. Howard Wilkinson, antiguo mánager del Leeds United, comentó en una ocasión que solo hay dos tipos de técnicos: «Los que han despedido y los que despedirán».

No deja de sorprender la ayuda que llega a prestar el hombre de confianza de un mánager cuando este se encuentra en la picota. Los buenos preparadores valen su peso en oro, pero, en mi opinión, no se les muestra el respeto que merecen. Muchos de ellos triunfan en distintos clubes y después, sin que se sepa muy bien por qué, se desconectan del fútbol porque no consiguen encontrar trabajo. En ese sentido, este deporte es muy incestuoso y los mánager suelen emplear al mismo personal allá donde vayan. Si uno de ellos cae en desgracia, seguramente el preparador también lo hará. Está muy bien que la FA (la federación inglesa de fútbol) forme a multitud de preparadores para mejorar el fútbol inglés, pero, a menos que conozcan a alguien en este mundillo, es muy difícil que metan cabeza.

Un buen preparador ha de ganarse el respeto de los jugadores y ser accesible a todo tipo de temas. He conocido a algunos que tenían todos los títulos habidos y por haber, pero no sabían transmitir sus ideas. A veces entrenan demasiado a los jugadores, y estos se aburren y pierden el entusiasmo (como yo). Por el contrario, hay otros que conectan al instante. He entrenado con personas fantásticas cuyo enfoque trasciende las diferencias de edad, experiencia y actitud. Con ellos siempre se piensa: «Este tipo sabe lo que hace». El ritmo y calidad de los entrenamientos mejoran y se llevan a cabo con entusiasmo.

A menudo, me preguntan qué hago durante las dos horas de entrenamiento y la respuesta más sincera es que depende del mánager y el preparador. Tras cuarenta minutos de calentamiento en los que se practican carreras de ida y vuelta, entre postes, evitando obstáculos y ejercicios de correr rápido en escaleras de cuerda, lo que suele hacer la mayoría de los preparadores es dividir el equipo y jugar a mantener la posesión del balón. Al cabo de un rato, se acaba mareado. Tuve un preparador que hacía jugar a un toque a un equipo de once en un campo reglamentario. Después de una hora, nos íbamos pensando: «¿Qué hago en este club?». Por eso puede ser interesante que despidan a un mánager y a su preparador. Llegado ese caso, lo mejor es ir a su oficina, darle las gracias por su esfuerzo y desearle buena suerte, porque nunca se sabe cuándo se volverá a jugar con él.

Sin embargo, de vez en cuando, el comportamiento de los jugadores no ayuda a los mánager. Hace unos años, el equipo para el que jugaba nos llevó a un país de clima cálido para tomarnos un descanso a mitad de temporada. Nada más llegar al hotel, a eso de las nueve de la noche, el mánager nos indicó las normas que debíamos observar mientras estuviéramos allí. «Podéis salir, pero hoy no. Esta noche se acuesta todo el mundo. Los entrenamientos serán de nueve en punto de la mañana hasta las once, antes de que haga demasiado calor. Así que, a la cama. Ah, el desayuno es obligatorio» (esto último lo dicen siempre). A los veinte segundos de que se cerraran las puertas de hotel, el *chat* de mi teléfono se puso al rojo vivo: «¿Dónde vamos?». «Quedamos en la piscina dentro de quince minutos y buscamos una salida». «¿Quién llama a los taxis?». «¿Tiene alguien un cargador de iPhone, he olvidado del mío?» (este era yo, tengo fama de olvidadizo).

Finalmente, nos reunimos en los jardines. Fuimos saliendo uno a uno por un agujero en el seto para que no nos viera nadie y paramos unos taxis levantando los brazos y saltando frenéticamente del modo más silencioso del que fuimos capaces. Nos pusimos en camino y después… no me acuerdo. Me contaron que, a eso de las tres de la mañana, el preparador nos encontró en un karaoke y nos llevó de vuelta al hotel en el microbús que habían alquilado para ir al campo de entrenamiento al día siguiente. Tenía todo el derecho del mundo de decírselo al mánager, que seguramente nos habría impuesto la mayor multa colectiva de la historia del fútbol, o nos habría leído la cartilla, pero no lo hizo. Nuestro respeto hacia él aumentó y los entrenamientos mejoraron considerablemente. Ahora que lo pienso, también podría haber guardado ese episodio como un as en la manga por si necesitaba un favor, pero prefiero pensar que era una persona honrada.

Tener a todo el mundo de tu parte compensa, pero no todos han de caerse bien entre ellos. Basta con que congenien y se ayuden todo lo que puedan en el terreno de juego. Y ahí es donde realmente destacan los buenos capitanes. Durante toda mi carrera solo hubo un capitán cuyo nombramiento no me pareció adecuado, y fue porque nunca nos defendió cuando lo necesitamos.

No recuerdo dónde leí que, en la temporada 2011-2012, el brazalete de la selección inglesa pasaba de mano en mano como si fuera una granada; sin embargo, he tenido el honor de capitanear un club, y puedo decir que un brazalete (que la mayoría de los jugadores se coloca al revés, ¿tan difícil es?) consigue hacerte sacar pecho y sentirte un palmo más alto. Aunque haya muchos futbolistas que finjan que les da igual, en el fondo, prácticamente todo el mundo quiere ser capitán. ¿Es importante? Bueno, si se tiene suerte, puede marcar la diferencia entre el éxito y el fracaso.

Los mánager suelen elegir capitanes que sirvan de enlace con el vestuario, pero, cuando surgen discrepancias entre el equipo y los directivos del club, el capitán siempre debería defender los intereses de los jugadores. Un buen capitán es el jugador que se preocupa de la política de un club fuera del terreno de juego, ya sea respecto a primas, multas, actividades o tiempo libre.

Cuando soy capitán me gusta llegar pronto los días de partido. Diez minutos antes de que los equipos salgan a calentar (normalmente a las 14.20) los dos capitanes acuden al vestuario de los árbitros para mantener una conversación que no difiere mucho de la que se tiene antes de una pelea de boxeo. Lo que comenzó como una simple entrega de la lista de jugadores al árbitro (fuerte multa si se llega un minuto tarde) se ha convertido en una charlita sobre lo que espera durante el partido. Se estrecha la mano del equipo arbitral y del otro capitán, y entonces el árbitro dice algo como: «Ya sois mayorcitos. No me jodáis. Si tenéis algún problema, me lo decís, ¿vale? Si uno de vuestros jugadores se comporta de forma agresiva conmigo, mis asistentes u otro jugador, espero que lo atajéis antes de que tenga que intervenir, ¿de acuerdo? Buena suerte», y después se vuelven a estrechar las manos.

Jugué con un capitán al que le colocaban el brazalete por defecto cuando se lesionó el elegido por el mánager. Lo aceptó nominalmente y le pidió al utilero que le hiciera uno personalizado. Acabó poniéndose un trozo de vendaje tubular, del que se utiliza cuando se tiene un esguince de tobillo, con una C enorme escrita con rotulador negro, que le cubría toda la parte superior del brazo. Hay jugadores a los que les gusta ese tipo de cosas:

quieren que todo el mundo sepa quién es el capitán, aunque finjan no darle importancia. Perdió mucho respeto, sobre todo por mi parte.

Por extraño que parezca, el equipo con el que he jugado y que tuvo más éxito contaba con el capitán menos valorado. Era todo lo que detestan los jugadores: egoísta y cobarde cuando más lo necesitábamos. En una ocasión, el club no quiso negociar las primas. Habíamos agotado prácticamente todos los argumentos, y el día que teníamos que firmar (ha de informarse a la Liga sobre todas las primas en una fecha concreta) solo nos quedaba una opción: boicotear la foto de equipo. Quizá parezca una amenaza huera, pero, desde el punto de vista político y del patrocinio, es algo muy serio. El día que iban a hacernos la foto nos negamos a vestir la nueva equipación. El director ejecutivo nos rogó, pero todos nos mantuvimos firmes, excepto uno. Nuestro capitán saltó al césped solo, con el uniforme nuevo, listo para la acción. Nos traicionó en el momento en el que más necesitábamos un líder. Nunca le perdonamos, y desde aquel momento el equipo al completo le hizo el vacío. Todo lo que intentó organizar cayó en saco roto, y cuando necesitó que se le hiciera un favor, no se le hizo.

El capitán ideal puede gritar a sus compañeros o no estar de acuerdo con el mánager, y aun así mantener una relación excelente con sus compañeros, por el respeto que se le profesa. En una ocasión, un amigo que jugó en el United con Roy Keane me confesó: «Cuando era joven, tuve problemas con mi contrato. No tenía agente ni sabía qué hacer. Roy me acompañó cuando fui a hablar con Ferguson y arregló el asunto, simplemente porque era el capitán del equipo. Al día siguiente me dijo de todo por fallar un pase durante el entrenamiento».

Me enorgullece poder decir que fui capitán de un

equipo profesional, pero las atribuciones del cargo implican que se pasa más tiempo solucionando asuntos fuera del campo que en él, algo que ya no me interesa. En mi opinión, no hay otra labor más importante en el terreno de juego, pero, en la actualidad, para mí, hay muchísimas cosas más importantes fuera de él.

CAPÍTULO 3

Los aficionados

Según la teoría de los seis grados de separación, en este mundo dos personas están relacionadas entre sí a través de seis conexiones. Sin embargo, la Premier League siempre se ha regido por sus propias leyes y sigue demostrando que miles de personas están relacionadas con un jugador durante noventa minutos.

Un partido poco memorable de la temporada 2011-2012 en Craven Cotagge se recordará por el gesto que pareció hacer Luis Suárez, jugador del Liverpool, a los aficionados locales cuando su equipo acabó derrotado 1-0 por el Fulham. Lo que más me sorprendió es que levantó el dedo corazón como respuesta a los gritos de «¡Tramposo! ¡Tramposo!», con lo que dio la impresión de que el uruguayo es muy sensible, a pesar de tener más experiencia que otros jugadores en lo que respecta a las críticas.

En realidad, aquel ademán no fue especialmente infame, aunque el fútbol o Suárez tampoco se cubrieron de gloria. Imagino que hay mucha gente que se siente ofendida por algunos de los gestos que se hacen con la mano, pero me extraña que estén en los estadios de fútbol.

No cabe duda de que la relación entre los aficionados y los jugadores se resintió cuando los sueldos de los que pisan los terrenos de juego se distanciaron astronómicamente en relación con lo que cobran los que ocupan las gradas. Por suerte, los incidentes serios, como la patada estilo kung-fu de Eric Cantona en Selhurst Park o el deplorable escupitajo de El-Hadji Diouf, siguen siendo pocos e infrecuentes.

Resulta difícil explicar lo mucho que llega a enfadarse un jugador en el campo. A veces me asustaba la mala sangre que me hacía por cosas nimias como las canciones despectivas o los insultos. Los jugadores estamos tan protegidos fuera del campo que a menudo nos ponemos un poco melindres cuando jugamos.

Un buen amigo ya retirado siempre estaba perorando sobre la hipocresía de los aficionados. En su opinión, a pesar de que creen que tienen derecho a castigar a los jugadores, les sabe muy mal que se lo echen en cara. El punto débil de ese argumento es que los aficionados son los que pagan la entrada, aunque un lateral derecho con el que jugué lo utilizaba para dar la vuelta a la situación; su respuesta habitual a los insultos era: «Sigue llenándome el bolsillo, colega».

La mayor parte de lo que gritan los aficionados no se entiende, pero a veces lo oímos, aunque finjamos lo contrario. Durante el partido es imposible prestarles atención, debido a la concentración y a la velocidad a la que se juega, pero los futbolistas que lanzan los saques de esquina y de banda mentirían si dijeran que nunca oyen insultos. Por extraño que parezca, en algunos de los estadios más grandes, como Old Trafford y el Emirates, en los que el ambiente suele estar calmado durante largos periodos de tiempo, pues el público va a divertirse, es donde a veces se oye algún insulto personal en las bandas. Con todo, también son casos aislados, en especial en el campo del Manchester United, en el que da la impresión de que en vez de hinchas apasionados las tres primeras filas las ocupan domingueros que estarían igual de contentos en cualquier otro sitio. Eso es estupendo para el equipo visitante.

Gran parte de lo que se grita es en broma. De hecho, si los aficionados ven que los miras y sonríes, se rompe el hielo y la tensión se reduce. Es lo que pasó en un partido que jugué hace unos años, cuando el público empezó a cantar «¿Sabe tu mujer que estás aquí?» a un jugador al que hacía poco habían fotografiado junto a una joven que no era su esposa. El jugador en cuestión se echó a reír y, por supuesto, la multitud dejó de cantar.

Sin embargo, a veces ese tipo de respuesta no basta. Entonces es cuando no se sabe muy bien qué hacer.

Muchas veces me preguntan qué es lo peor que he oído gritar desde las gradas y, creedme, he oído de todo, desde espero que tus hijos mueran de sida a amenazas de muerte, pasando por todo insulto concebible sobre mujeres y novias. No quiero empezar a quejarme, pero me parece extraño que sea más fácil que te expulsen del terreno de juego por proferir palabras ofensivas o insultantes a que te echen de un estadio por la misma falta. Evidentemente, es imposible expulsar a treinta mil aficionados por cantar algo ofensivo al mismo tiempo, pero todos vemos y oímos comentarios injuriosos que quedan impunes.

La otra cara de la moneda es que los aficionados pueden ser muy graciosos. Cuando los seguidores del Chelsea gritaban «¡Tira!» siempre que le llegaba el balón a Ashley Cole, que unos días antes había protagonizado un incidente con una escopeta de aire comprimido en el campo de entrenamiento, era imposible no reírse. El castigo que ha recibido Suárez, no solo en Fulham, sino en todas partes, se debe a su imán para la polémica. Se sabía antes de que llegara a Inglaterra y simplemente se ha ratificado, en particular con la sanción de ocho partidos que se le impuso por los insultos racistas que profirió contra Patrice Evra en Anfield en octubre del 2011. Es un jugador que le dio un mordisco a un oponente cuando jugaba con el Ajax; además, en un escenario mucho mayor, proclamó con retorcido regocijo «ahora la mano de Dios la tengo yo», después de hacer una mano deliberada y negarle un gol ganador a Ghana en los cuartos de final del Mundial 2010. Lo peor no fue evitar que entrara la pelota, cosa que habría hecho todo jugador, sino la absoluta falta de clase que demostró después.

Lo que tengo claro es que el mensaje que envía a los aficionados un futbolista cuando reacciona ante los insultos de las gradas es que a él se le puede provocar fácilmente y, de paso, a todos nosotros.

Por mucho que los hinchas sean el alma de los clubes e incluso sean un factor decisivo a la hora de fichar por un equipo, si se encuentra a un futbolista dispuesto a hablar con franqueza, seguramente no tardará en decir: «Los aficionados no tienen ni idea». Y, a pesar de que no estoy de acuerdo al cien por cien, sé por dónde van los tiros. A menos que se haya jugado al fútbol, hay cosas que por mucho que los jugadores intenten explicar, siempre pertenecerán al mundo de los profesionales.

Que a los aficionados les moleste que los futbolistas mantengan la posesión del balón es muy frustrante. En ocasiones, cuando estoy lesionado o sancionado, me siento en la grada para ver el partido y no deja de sorprenderme lo que gritan algunos hinchas durante el partido. Nada enfada más a un jugador que los gritos de «¡Pasa!». Al parecer, hay gente que no valora la posesión del balón, y lo que resulta más preocupante es que es algo que no se limita a los aficionados.

Pongamos por ejemplo la estadística de pases de Inglaterra en la Eurocopa 2012. El jugador que más pases realizó, cuarenta y cinco en un partido, fue Joe Hart contra Italia. En ese mismo enfrentamiento, Andrea Pirlo hizo ciento diecisiete. Lo que resultó igual de deprimente fue el análisis del encuentro de Roy Hodgson: «Las estadísticas de posesión no me parecen especialmente importantes», comentó el entrenador de Inglaterra.

Así que dejad que os diga lo que pienso: la posesión del balón es importante por cuatro razones. Primera, cuando un equipo tiene el balón, el otro no puede marcar. Segunda, los oponentes se desviven intentando recuperarlo, y cuando lo tienen están demasiado cansados como para hacer algo provechoso con él. Tercera, el equipo que controla el balón tiene posibilidades de intentar una apertura, normalmente después de forzar a un jugador a que abandone su posición, si se mueve el balón con rapidez. Y cuarta, mantener la posesión es la mejor forma de recuperarse. Un buen ejemplo es la desorganización de los jugadores de Inglaterra hacia el final del partido contra Italia.

Por suerte, la siguiente generación de jugadores parece entenderlo. Si se está en la banda en cualquier partido de juveniles, hay muchas posibilidades de que se oiga al entrenador gritar a los jugadores en cuanto recuperan el balón: «¡Mantened la posesión!». No hace mucho, Charles Hughes, un antiguo profesor al que le encargaron reinventar el fútbol inglés, propuso la teoría del pomo —posiciones de máxima oportunidad—, que básicamente implicaba evitar el centro del campo y enviar rápidamente el balón al jugador más adelantado.

Todos nos reeducamos de una forma u otra. Siempre he pensado que un buen ejemplo de nuestras expectativas se plasma cuando un jugador lanza el balón por encima del larguero. En España e Italia se oyen silbidos y abucheos para dejar claro que la jugada no ha estado a la altura. Cuando en este país sucede algo así, se escuchan exclamaciones de sorpresa, como si fuera algo digno de admirarse. También me asombra que la gente aplauda dos de los pases más fáciles de ejecutar: el cabezazo al portero de un defensa que no está sometido a ninguna presión y el pase lateral a veinte metros desde el centro del campo hacia un extremo.

La otra cara de la moneda es que los aficionados consiguen asustar a los jugadores hasta el punto de forzarlos a tomar decisiones equivocadas. Cuanto más bulliciosa se muestra la grada, peor es el juego que se desarrolla; lo he experimentado millones de veces. Algunos estadios tienen muy mala fama. Siempre que jugaba en el del Wolverhampton Wanderers o el del West Ham United, el mánager comentaba: «Si los mantenéis a raya veinte minutos, los hinchas se les echarán encima». Del mismo modo, no hay nada mejor que sentir el respaldo de tus seguidores. A veces, tras mantener una presión continua, quizá con tres o cuatro saques de esquina seguidos, el fragor en las gradas se intensifica. El equipo contrario se pone nervioso, el tuyo se crece y da la impresión de que se corre más rápido y se llega antes a los balones.

Los aficionados también son intimidantes por razones muy diversas. Hace poco jugué un partido en el que conocía a muchos de los jugadores del equipo contrario. Durante una interrupción del juego por una lesión, empecé a hablar con uno de ellos. De repente, se desplomó. En el momento en el que cayó al suelo estaba mirando hacia otro lado y al agacharme para ayudarle vi una moneda de cincuenta peniques a su lado. La habían lanzado desde las gradas y le había acertado de lleno en la frente: un formidable lanzamiento del que estaría orgulloso un francotirador. Más tarde volví a verlo y presentaba un profundo corte que le recordaría para siempre algo que hubiera preferido olvidar. Que no se quejara en ningún momento dice mucho de él. No informó ni a los ayudantes ni a la policía que bordea el túnel después de los partidos. O no quería que se produjera un escándalo, o, seguramente, sabía que no se haría nada al respecto y no quiso convertirse en un llorón y objetivo de los hinchas en los partidos fuera de casa.

Unos años antes tuve la suerte de jugar en Den, el estadio del Millwall. Creedme, el público es de lo más hostil. Después del partido, tres jugadores fuimos hacia el autobús, que, por alguna razón, estaba al otro lado del aparcamiento. Mientras nos dirigíamos hacia allí vimos que cuatro o cinco tipos corpulentos venían hacia nosotros. Uno de ellos iba con su hijo, que no tendría más de siete años. Este tenía que acelerar el paso de vez en cuando para que no le dejaran atrás. Me recordó a mi padre y a su costumbre de andar a toda velocidad fuera de los estadios cuando segregaba adrenalina. Al acercarnos distinguí los tatuajes que les cubrían los brazos. Me temí lo peor y continué avanzando con la vista fija en el suelo. Sabía que nos estaban mirando y supuse que empezarían a insultarnos. Justo cuando creía que nos habíamos librado, el chaval nos miró y le espetó al jugador que había a mi lado: «¡Negrata!». Recuerdo que me quedé de piedra. El insultado soltó una carcajada entre incrédula y horrorizada. Nadie dijo nada más y seguimos andando. No sé qué fue peor, si oír esa palabra en labios de un niño, o el hecho de que el padre ni se inmutara.

La cuestión en este caso extremo es que gran parte de lo que aprende un niño se lo enseñan sus padres. Ejercen una influencia directa sobre ellos y son su guía respecto al comportamiento adecuado. Por eso me cuesta aceptar la idea de que los futbolistas son modelos de conducta. A pesar de que no apruebo el proceder de algunos compañeros, si vuestros hijos o hijas los imitan, deberíais preguntaros por qué prestan más atención a un jugador de la Premier League que a vosotros y por qué los exponéis al ultraje más vergonzoso que pueda imaginarse.

Ninguno peor que el racismo, que en la temporada 2011-2012 volvió a hacer su aparición en el terreno de juego y en la máxima competición. Por mucho que prefiera pensar que en este país hemos cambiado mucho desde los tiempos en los que se arrojaban bananas y se imitaba el sonido de los monos, la verdad es que el racismo sigue siendo un problema. Lo que cuento a continuación quizás escandalice a alguien, pero en todos los clubes en los que he jugado siempre había un futbolista negro y otro blanco que mantenían una relación especial en la que a veces intercambiaban comentarios racistas, algo que no habría quedado impune en boca de nadie más en el vestuario. Y sí, lo hacían de broma, pero eso no significa que esté bien.

Por supuesto, la situación en Anfield entre Evra y Suárez era muy distinta. El castigo que recibió el jugador uruguayo fue una clara advertencia. Aunque ya he mencionado que el comportamiento de los futbolistas influye más que el de los padres, he de admitir que tenemos una responsabilidad con nosotros mismos, nuestros compañeros, nuestros clubes y el público en general en cuanto a establecer lo que es y no es aceptable. Y en lo que respecta al racismo, no hay otra alternativa que la tolerancia cero.

A pesar de que se han hecho grandes esfuerzos por atajar el racismo, todavía no ha habido oportunidad de tratar la fobia a los homosexuales, otro tema tabú en el fútbol. Siempre que se menciona se produce una avalancha de debates absurdos en los medios de comunicación, en un intento demasiado predecible por desenmascarar por qué los periódicos, las televisiones, las radios y los sitios web se meten con los gais. Solo hay que fijarse en la pregunta que se le formuló al delantero italiano Antonio Cassano en la Eurocopa 2012 sobre la información aparecida en los medios de que en el equipo italiano había dos *metrosexuales* y dos homosexuales. A pesar de que su respuesta, «¿Maricas en la selección? Es asunto suyo, pero espero que no los haya», fue deplorable, lo importante es preguntarse: ¿por qué ha de meterse nadie con la sexualidad de los demás?

Por pura estadística, hay muchas posibilidades de que en el fútbol profesional haya más jugadores gais, aparte de Anton Hysén, el sueco que declaró públicamente su homosexualidad en el 2011. Dicho lo cual (y perdón por el vergonzoso estereotipo), podría perdonarse a cualquiera que al ver los peinados, la ropa y las lujosas bolsas de aseo de los futbolistas cuando llegan a un partido pensara que se trata de un juego practicado exclusivamente por homosexuales. No me tiréis de la lengua sobre algunas de las cosas que he visto.

«Oficialmente» no conozco a ningún jugador gay, aunque supongo que he estado a tan solo una copa o dos de que alguno de mis compañeros me lo confesara. Sin embargo, en lo que todos estamos de acuerdo es en que hay una buena razón para que los jugadores gais guarden sus preferencias sexuales en la taquilla: los aficionados. La mayoría de los hinchas se limitan a hacer bromas inofensivas, pero da la impresión de que se está permitiendo que algunos se pasen de la raya. Después de insultar a los jugadores por el color de su piel o su nacionalidad, algunos aficionados recurrirían a cualquier cosa por unas risas fáciles y por poder decir a sus colegas en el pub lo que han gritado durante el partido.

En un campo de fútbol aguanto mucho antes de asquearme, seguramente porque lo he oído todo. En uno de los clubes de Londres hay un hombre que siempre me grita lo mismo, desde el mismo asiento, todas las temporadas. Ahora me limito a sonreír y él se ríe al darse cuenta de que le he oído, pero nuestra relación no siempre fue así. Tras las primeras veces, me enfadé tanto que una vez que el balón rebotó en dirección a la banda le lancé una bolea mortífera con el pie izquierdo y fallé por poco (se sienta cerca de las primeras filas). Os podéis imaginar la cantidad de insultos que me propinó.

Por desgracia, a pesar de que a estas alturas ya estoy

curtido, otros jugadores todavía están creándose una coraza. Hace unos años vi a un joven con mucho talento echarse a llorar en el vestuario por los insultos que había recibido de un par de payasos. No confesó a nadie lo que le habían dicho ni nadie le preguntó, aunque me lo puedo imaginar.

¿Declararíais vuestras preferencias sexuales y después viajaríais por todo el país para jugar ante miles de espectadores que os odian? Yo no. Me deprimiría mucho en el vestuario al darme cuenta de que cierta parte de este extraordinario deporte consigue que callarse sea prácticamente lo único que se puede hacer. Es probable que también me acordara de Justin Fashanu, el futbolista gay que se suicidó en 1998.

¿De verdad ha mejorado el fútbol desde entonces? Regresemos a septiembre del 2008 en Fratton Park, cuando Sol Campbell recibió insultos homófobos y se grabó a parte de los aficionados del Spurs cantando: «Sol, Sol, donde quiera que estés, te falta poco para la locura. Nos importa una mierda que te cuelgues de un árbol, eres un puto Judas con VIH». Pido disculpas si alguien se ha ofendido al leer esas palabras, pero imaginaos cómo se sintió Campbell cuando las oyó.

Por desgracia, los insultos que reciben los jugadores no han mejorado. En pocas ocasiones se aprecia el buen juego del equipo oponente: normalmente, un gol magnífico se recibe con miles de gestos en las gradas y se abuchea al jugador con más talento con una intensidad y un odio que son un claro reflejo de la sociedad en la que vivimos.

Dicho lo cual, estoy prácticamente seguro de que, si se le ofreciera una garantía mágica de que nadie fuera del equipo iba a enterarse nunca, un jugador no tendría reparos en declararse gay ante sus compañeros. No es que seamos una raza superior —ni siquiera yo aceptaría esa propuesta con la mitad de la selección inglesa conspirando contra mí—, sino que solo nos preocupamos por nosotros mismos y, por lo tanto, intentamos no involucrarnos demasiado en los problemas y las preocupaciones del resto de los jugadores. Aunque también he de decir que se respira una tremenda sensación de camaradería cada vez que los medios de comunicación, los aficionados u otro equipo se ensañan con un jugador. En algunos casos, se abusa de esa lealtad, tal como sucedió tras el incidente Suárez-Evra, cuando los jugadores del Liverpool aparecieron con camisetas en apoyo al compañero al que se había sancionado por proferir insultos racistas a otro profesional.

El vestuario es un ambiente duro en el que sobrevivir —podéis decir lo que queráis sobre la falta de inteligencia de los futbolistas (la gente lo hace a menudo)—, se hacen bromas pesadas y cualquier cosa que se salga de lo común se aprovecha al instante. Pero por eso es un lugar en el que a un jugador gay no le importaría declararse homosexual. Un futbolista es un futbolista: no importa que se sea negro, blanco, heterosexual o gay. Los jugadores se sienten cómodos en ese entorno en el que están acostumbrados a tomarse el pelo.

Pero las gradas son completamente diferentes. Cuando hay aficionados cerca, siempre estamos a la defensiva.

Los futbolistas hemos aprendido a hacer frente a una extraordinaria cantidad de varapalos por parte de las gradas y en gran medida se debe a que sabemos que hay pocas posibilidades de que alguien salte la barrera para dejar clara su opinión de forma física. A ese respecto, el terreno de juego es como un campo de fuerza protector. Excepto en los derbis.

La rivalidad en el fútbol no es nada nuevo, pero no puede negarse que cuanto más hay en juego, más aumenta la animadversión. En los días previos a una revancha o a un derbi, es imposible no sentir la expectación. Recuerdo que durante la preparación de uno de esos encuentros toda la gente con la que me encontraba me decía: «El domingo tenéis que ganar». Siempre repiten lo mismo, pero antes de ese tipo de partidos, y por el resentimiento que existe entre los aficionados, suena como una amenaza.

Por regla general, los jugadores no disfrutan de esos partidos. El odio del que he sido testigo en ocasiones se podría resumir en los cinco últimos minutos de un encuentro contra nuestro más acérrimo rival. Íbamos perdiendo, estábamos desesperados por marcar un gol y empezamos a correr riesgos, situando cuantos hombres pudiéramos en la delantera. Finalmente, conseguimos hacer un disparo a portería, que acabó en las gradas en las que se sentaban nuestros aficionados. Sin embargo, no devolvieron el balón. A pesar de todo lo que pasó en ese derbi, el hecho de que ninguno de nuestros seguidores fuera capaz de lanzar el balón al portero contrario, cuando íbamos perdiendo y se nos acababa el tiempo, dice mucho del odio que sentían por un equipo al que estaban desesperados por vencer.

Fuera del terreno de juego, mi relación con los aficionados ha tenido sus más y sus menos. Me he dado cuenta de que la gente es mucho más valiente cuando está en un grupo que cuando está sola; por eso suelo abandonar los partidos con alguien que haya jugado bien ese día. Pero también ha habido ocasiones en las que he tenido que recurrir a la defensa física de mi buen nombre frente a la reacción violenta de algunos aficionados. Recuerdo que una vez me arrinconaron cuatro gilipollas borrachos y tuve que abrirme paso dando puñetazos a ciegas hasta la puerta, donde sabía que estarían los gorilas. Esas salidas nocturnas son peligrosas tanto para los aficionados como para los jugadores.

La verdad es que cuando salgo por la noche siempre contemplo la posibilidad de que haya problemas, porque la gente bebe mucho, y de repente se vuelve muy valiente o muy idiota. La facilidad con que un futbolista profesional divide las opiniones de un local lleno de gente sin siquiera hablar con ninguno de los presentes es pasmosa. Personalmente intento evitar salir con grupos de compañeros. Incluso conseguí eludir las fiestas que se organizan en Navidades hasta que se nos informó de que se nos multaría si no asistíamos.

Durante los cinco años que pasé en uno de los clubes para los que he jugado, solo salí una docena de veces con mi novia, siempre para cenar y normalmente en algún cumpleaños. Además de la posibilidad de verse envuelto en peleas, no me gusta entablar conversación con nadie, porque siempre creo que me están grabando. Los avances tecnológicos en los teléfonos móviles han propiciado que hoy en día todo el mundo ejerza el periodismo.

Cuando empecé a jugar al fútbol no tenía ni idea de a los extremos a los que llegarían algunas personas para hablar conmigo, discutir o implicarme en una pelea. Al cabo de un tiempo, salir de casa se convirtió en algo demasiado engorroso. Con todo, el verdadero problema para mí no son las salidas nocturnas, porque, en general, siempre pueden evitarse. Lo que me asusta son las actividades diarias. Llegó un momento en el que ir a comprar se convirtió en una experiencia ridícula, pues la gente me seguía para ver qué ponía en el carrito. Incluso descubrí a una persona que compraba lo mismo que yo, lo que me llevó a pensar que quizá sea el responsable del relativo auge en las ventas de Frosted Shreddies (aunque existan muchas otras marcas de cereales).

La mayoría de las situaciones que he experimentado son inocuas, pero últimamente ando de puntillas porque sé que la gente pide todo tipo de cosas. La primera vez que me sucedió, creí que el tipo que me preguntó si podía conseguirle una prueba en el club en el que jugaba me estaba tomando el pelo. Rondaba los cuarenta, y pensé (su barriga me dio una pista) que alguna razón habría para que no lo hubieran descubierto todavía.

Antes de llegar a esa conclusión ya me había dado su número de móvil, su dirección y me había dicho dónde trabajaba. Es decir, hablaba en serio. Recuerdo que cuando se lo comenté a mis compañeros en un entrenamiento se echaron a reír. El capitán me aconsejó: «Tienes que preparar las respuestas». En ese momento no supe a qué se refería, pero ahora las tengo siempre a mano. El truco consiste en contestar rápidamente y sin vacilaciones. «Escriba al club, allí le explicarán todo lo que quiera saber», respondo al padre que me pregunta si puedo recomendar a su hijo para una prueba. «Lo siento, el contrato especifica que no puedo hacerlo», contesto a un grupo que me pide jugar en su equipo de futbito o en un partido del Dog and Duck el domingo por la mañana.

En las salidas nocturnas que no puedo evitar, lo peor con lo que tengo que enfrentarme es con la tabarra que me dan unos tipos que me hacen sentir demasiado mayor para estar en esos locales. Siempre intento irme antes de que empiecen las peleas, pero casi siempre que salgo hay un chaval joven que me grita al oído: «Este tío va a ser el próximo Wayne Rooney. El Crewe se ha ofrecido a formarlo en sus instalaciones». Esto me lo dijo el mejor colega de un niño prodigio, mientras la nueva adquisición de la academia del Crewe estaba a su lado con una botella de Corona en cada mano, vestido como un figurante de la serie de televisión *Footballer's Wives* y fingiendo que no me conocía ni sabía de qué estaba hablando su amigo.

Como nunca se sabe cuándo va a atacar esta gente, merece la pena tener a mano una excusa bien fundamentada e inofensiva, en parte para no balbucear y acabar accediendo a algo que no tiene escapatoria. Me muestro firme, pero nunca grosero. «Buena suerte en el Crewe, es un club excelente. No te pases con la cerveza», le deseé, y después, por motivos que ignoro, les pagué una copa.

A lo largo de mi carrera, he adoptado medidas drásticas para evitar a la gente que me quita tiempo. He dejado de salir e incluso me ponen nervioso las multitudes de los centros comerciales (la verdad es que me da mucha vergüenza, pero ya me dan suficiente caña los sábados y la posibilidad de que me insulten en un Starbucks no me atrae nada). Tampoco me gusta ir a sitios en los que tenga que acabar eludiendo preguntas del tipo: «¿Es fulano de tal un gilipollas? ¿Cuánto gana? ¿Puedes conseguirme dos entradas?».

Lo que sí he de decir es que no hay una sensación comparable a la de oír a miles de aficionados coreando tu nombre, sobre todo después de marcar un gol. Es como si, durante un par de segundos, estuvieras flotando. No se oye lo que los compañeros te gritan al oído cuando lo celebran contigo. ¿Recordáis la escena de *Salvar al soldado Ryan* en la que una bomba explota cerca de Tom Hanks y se queda sordo y aturdido durante un momento? Es igual. Durante unos instantes, solo se ven colores mientras el cerebro intenta volver a la realidad. Cuando suena el silbato para que se reanude el juego, se tiene la sensación de que no se podrá hacer nada durante el siguiente minuto. Cuando deje de jugar, quizá sea lo único imposible de sustituir.

CAPÍTULO 4

Los medios de comunicación

He tenido experiencias desastrosas con periodistas de publicaciones sensacionalistas. Da la impresión de que entre la última pregunta y su aparición impresa en el periódico al día siguiente se cuela un tremendo error. Entonces, lo que parecía una entrevista cordial e inocua se transforma en algo completamente diferente.

A decir verdad, no siempre es así. La mayoría de las entrevistas que se conceden fuera de la sala de prensa se realizan ante un directivo del club que veta ciertas preguntas y suprime las respuestas que sean perjudiciales para el club o el jugador. Pero cuando un periodista te aborda a la salida de un entrenamiento, tu reputación depende de ti, sobre todo si va por libre y se dedica a vender historias escabrosas. Tampoco me siento cómodo cuando los periodistas utilizan papel en vez de un dictáfono, porque si se publica algo cuestionable siempre acaba siendo tu palabra contra la suya.

Durante mi carrera me han imputado muchas cosas. Sin duda, la más estrambótica tenía relación con mi supuesta adicción a la metadona, que, como todos los potenciales médicos que lean estas páginas saben, es un medicamento sustitutorio que generalmente se administra a los adictos a la heroína para desengancharlos del caballo. De esa historia me enteré cuando una amiga que vive en Estados Unidos me llamó para decirme que «un británico de la prensa amarilla» quería preguntarle si sabía algo sobre mi dependencia a ese medicamento. Todo eso venía a cuento de que hacía unas semanas me habían hecho una intervención quirúrgica y estaba tomando unos calmantes muy fuertes que solo se venden con receta. Recuerdo haberle mencionado a un periodista de uno de los periódicos locales que aquellas pastillas me habían salvado la vida, pues tenía un dolor muy intenso. A partir de ahí empezó el juego del teléfono. Mi amiga no le dijo nada al periodista que la telefoneó, pero aquello no impidió que el periódico publicara una columna al día siguiente en la que se sugería que había sufrido una sobredosis de calmantes.

Me gustaría decir que se trató solamente de una excepción, pero no fue así. Ese tipo de historias aparecen como por arte de magia y tienen escasa relación con la verdad. En otra ocasión me llamó un mánager para preguntarme si me gustaría jugar en su equipo. Decliné la oferta educadamente, pues me sentía a gusto en el club en el que estaba. Al día siguiente, lo intentó de nuevo: «¿Ficharías si te pagáramos treinta y cinco mil libras a la semana?». Por supuesto, contesté que por ese dinero podríamos negociarlo. Le di las gracias y colgué. Un día después, uno de los periódicos sensacionalistas publicó un artículo en el que aparecía como modelo del «tipo de mercenarios que están arruinando el fútbol en este país». Evidentemente, la segunda llamada la había realizado un periodista que se hizo pasar por el mánager. Hablando en plata, me puse hecho una furia y amenacé al periódico con ponerles semejante demanda que, de no haber llegado a un acuerdo, todavía estaríamos en los tribunales. A pesar de todo, no se disculparon.

Con todo, no siempre somos las víctimas. Los futbolistas procuramos una excelente carne de cañón a la prensa. Representamos su tipo de famoso favorito: jóvenes, sanos y, a menudo, engreídos. No me extraña que hayamos pasado de las últimas páginas a la primera.

Si algo nos ha enseñado la teoría de la evolución, es que los machos tienen un instinto casi incontrolable por procrearse. Esta peculiar fuerza de la naturaleza parece ser tan intensa que envía a los hombres con más talento en nuestra profesión directamente a los brazos de jóvenes obsesionadas con la fama. Si la evolución se basa en que las anteriores generaciones mejoran a las siguientes, supongo que, a veces, hasta la naturaleza falla.

En todos los clubes en los que he estado, siempre había algún futbolista al que había pillado su mujer o su novia. Aunque también he de decir que muchas parejas de jugadores hacen la vista gorda porque saben que si los abandonaran tendrían que renunciar al tipo de vida que llevan. Conozco esposas que han sorprendido a sus maridos *in fraganti*, se han ido de compras y después han vuelto a casa para preparar la cena como si nada hubiera sucedido. No podrían vivir sin un armario repleto de ropa de diseño, dos semanas en Dubái y medio Tiffany's todas las Navidades y cumpleaños, y se limitan a fingir que no se han dado cuenta.

Ese acuerdo amistoso que no se atreve a pronunciar su nombre solo se convierte en un problema cuando se enteran los medios de comunicación. E incluso entonces, por lo general, se corre un velo lo más rápidamente posible. La excepción es la esposa que ya no necesita al jugador.

Por favor, no penséis que tengo una opinión negativa de todas las mujeres. Sé que muchas son honradas e íntegras, y que no las mueve el lujo o el prestigio —tengo la suerte de estar casado con una así—, pero un buen número de las que pululan alrededor de los futbolistas profesionales son menos admirables.

Las aventuras han existido desde que el mundo es mundo, pero cuando los medios de comunicación empezaron a pagar sumas de hasta cinco y seis cifras por esas historias se convirtieron en un problema para los futbolistas. Las noches que salía siempre me preguntaba cuántos jugadores acabarían durmiendo con una chica que acababan de conocer hacía cinco minutos, sin saber que se arriesgaban a convertirse en los titulares del día siguiente.

Todo el mundo sabe por qué se cotiza tanto echar uno rápido con un jugador. Algunas chicas los consideran trofeos, por no hablar de las *groupies* que he visto rondar los entrenamientos y he evitado como si tuvieran la peste. Cuando se tiene en cuenta la posibilidad de que acaben vendiendo la historia o se hagan la falsa ilusión de que van a vivir felizmente contigo el resto de sus vidas, lo normal es alejarse de ellas. A menos que se sea soltero, en cuyo caso uno elige lo que quiere hacer. He conocido a folladores inagotables que han hecho lo imposible por echar un polvo. Tienen «citas médicas urgentes» en los sitios más extraños y a las horas más intempestivas del día.

La cuestión es: ¿qué gana el jugador? Al fin y al cabo, el riesgo no compensa el beneficio. Un jugador casado se expone a perder mucho por cinco minutos de lujuria. Pero no solo es eso. Es pura jactancia. Una chica despampanante prestará atención a todas sus palabras; aunque cuente los peores chistes, se reirá como si fuera un cómico profesional, y las botellas de champán la impresionarán. En pocas palabras, un jugador consigue que le alimenten el ego y dormir con una mujer guapa, y nueve de cada diez veces sin que lo pillen. Por supuesto, si a su mujer o su novia siquiera les importa.

Hay otra razón para que se den este tipo de situaciones. Muchos futbolistas tienen novias de juventud con las que acaban casándose, y muchos de ellos tienen hijos siendo muy jóvenes, antes de haberse desmelenado, como dirían algunos. Cuando un jugador empieza a ganar dinero de verdad es cuando se le presentan las tentaciones, que normalmente coinciden con los primeros bolsos de Louis Vuitton y los viajes en clase preferente a las Barbados. A veces reconozco ese tipo de casos cuando aparecen nuevos jugadores con sus novias en el club. Al principio, apenas son capaces de mantener una conversación y dos años más tarde, sus hijos están con una niñera, la mujer al teléfono comprando Cartier y el jugador en una habitación de hotel tomando champán en..., bueno, imagino que os hacéis a la idea.

La popularidad que han alcanzado las novias y las mujeres no ha mejorado la situación. Algunas de estas criaturas (lo que no suena especialmente halagador, pero así es como se conocen en este mundillo) están obsesionadas con la fama. En un club en el que jugué tenían una columna en el programa del partido que se llamaba «Conozca a las parejas» o algo parecido. A la pregunta «¿A quién admira?», todas respondían que a Victoria Beckham o Katie Price. No hay nada malo en ello, ambas han tenido mucho éxito en los negocios, pero me temo que no fue eso lo que motivó las respuestas. Lo que están desesperadas por emular es su estilo de vida. Diseñan bolsos, visten ropa de marca y tienen maridos famosos, coches rápidos y casas en todo el planeta.

No se diferencian mucho de los jóvenes futbolistas actuales, que viven por encima de sus posibilidades y compran los relojes, coches y todo lo más caro que pueden permitirse. Imitan lo que leen en los periódicos, no lo que ven en el terreno de juego. Frank Lampard hizo un comentario muy apropiado al respecto hace unos años: «Los jóvenes se olvidan de lo mucho que hay que trabajar para conseguir ese tipo de vida. No hay muchos que muestren esa entrega, y eso es muy importante. Creen que ya lo han conseguido». No me malinterpretéis, limpiar botas no sustituye el talento, pero ayuda a mantener los pies en la tierra y, sin duda, apreciar el boato que aporta el trabajo duro y la dedicación.

Todos estos factores unidos son maná caído del cielo para los periódicos. Las novias y las mujeres de los futbolistas se pirran por aparecer en ellos, al igual que los jóvenes profesionales. La diferencia entre lo que sucede en la actualidad y cuando empecé yo es que los jugadores jóvenes quieren aparecer en las primeras páginas y no en las últimas.

Un amigo que jugó conmigo hace años y que ya está retirado me contó una historia increíble de cuando se alojó en el complejo hotelero One and Only de Dubái. Llegó con su mujer al mismo tiempo que otro futbolista, que ahora es internacional, y su esposa. Todos lo conocéis, aunque su mujer es seguramente más famosa que él en algunos ambientes. Mi amigo, que, he de decirlo, es muy guapo, el cabrón (lo que lo convertiría en alguien odioso si no fuera tan majo), estaba tomando el sol dentro de la piscina, que estaba muy concurrida y rodeada por tumbonas llenas de gente a la que mi mujer describe como «horrorosa».

Mientras mi amigo se ponía moreno, se fijó en que la mujer del otro jugador se metía en el agua al otro lado de la piscina. Al poco estaba haciendo movimientos y no precisamente de los que te ayudan a cruzarla. En cuanto mi amigo la miró a los ojos un par de veces fue nadando directa hacia él; cuando estuvo cerca, lo rodeó con las piernas y bajó la mano para..., bueno, hacer unos movimientos. Su marido dormía en una de las tumbonas, a la sombra de un árbol.

Cuando le dije que lo que me estaba contando era una auténtica patraña, se ofendió y sacó el móvil para enseñarme los mensajes con fotografías que le había enviado aquella mujer y, he de decir, que estaba bien depilada. A la semana siguiente, la pareja apareció en una revista del corazón, pero ella estaba vestida.

Cualquiera que hubiera fotografiado lo que pasó en la piscina se habría hecho rico, y de paso habría conseguido hacerles la vida imposible a cuatro personas durante un buen tiempo. La verdad es que mi amigo era consciente de ello, pero cuando le dije que era un idiota me demostró que se lo había tomado de forma pragmática. «Fue una tontería. Todo el mundo sabía quién era, pero ella es así, ¿no?»

Una vez vi a un compañero de equipo salir del vestíbulo de un hotel de Newcastle con una mujer muy guapa del brazo. Hasta ahí, nada del otro mundo, hasta que me di cuenta de que era la misma que la noche anterior había estado dándole la paliza sobre sus tres hijos, su marido y lo que le gustaba enseñar en el colegio de educación primaria local a cualquiera que la escuchara. En aquel momento, me dio la impresión de que estaba dándose de cabezazos contra la pared y se lo comenté. La verdad es que quería que se alejara de ella porque he comprobado, demasiadas veces, que esas inocentes conversaciones no lo son en absoluto. Pero él se lo tomó como un desafío. Unas cuantas copas más tarde, sus hijos habían desaparecido por completo de su mente. Habiendo tantas mujeres solteras, la actitud de «lo hago porque puedo» de mi amigo no me parece correcta. Y, en mi opinión, si pillan a un jugador en esas circunstancias, él se lo ha buscado.

Ningún futbolista que pontifica sobre la ética en los medios de comunicación, en especial los que juegan en la Premier League, sería tan tonto como para tener remordimientos por la influencia que ejercen en este país. Después de todo, Sky TV ha invertido millones de libras en el fútbol, y algunas han llegado hasta nuestros bolsillos. Personalmente no tengo ningún problema con Sky. No estoy del todo de acuerdo con la teoría de que el dinero ha acabado con el fútbol, incluso a pesar de que seguramente ha sido uno de los factores que más ha contribuido en los repetidos fracasos de Inglaterra en los campeonatos importantes. Con los que sí he tenido siempre mis más y mis menos es con los periódicos sensacionalistas de este país.

Cuando estaba en el colegio, hice algunas prácticas laborales en el periódico local. Soñaba con reporteros con gabardina que salían dando tumbos del Cheshire Cheese gritando «¡Paren las rotativas!» porque a un informante borracho se le había escapado un comentario sobre un diputado y su querida. La verdad, he de confesarlo, es que mi experiencia se redujo a muchas horas de auténtico aburrimiento, ir de vez en cuando a comprar té y hacer larguísimos desplazamientos en autobús para ver a ancianas que habían ganado mil libras en las quinielas. Puede que me equivoque, pero el que mis ilusiones se vieran frustradas alimentó mi recelo hacia los reporteros sensacionalistas (no es que crea que los periodistas serios son mejores, sino que en nuestro mundo no tenemos mucha relación con ellos, excepto para algún artículo ocasional).

Cuando entré en el fútbol profesional, todos los veteranos sin excepción me advirtieron sobre los medios de comunicación. «Si puedes, no hables con ninguno. Y si lo haces, no les digas nunca nada más que lo necesario», me previno el capitán. Siempre había pensado en los medios de comunicación como una forma de darme publicidad. Creía que cuanto más saliera en los periódicos y en la televisión, más se acordarían de mi nombre los que mueven los hilos. Desde entonces he visto a algunos jugadores mediocres hacer incursiones en ese terreno, al parecer basándose en la misma premisa. He de incluirme también. En teoría parecía factible, pero el resultado fue, como mucho, desigual.

Mi relación con los medios de comunicación comenzó a nivel local. En el primer club en el que jugué había un plumilla al que llamaré Bernie. Se comportaba como si fuera el mejor amigo que hubiera tenido nunca, como si pudiera confiarle cualquier cosa que se me pasara por la cabeza. Cuando no se es la víctima, el oscuro arte de sonsacar información que utilizan algunos periodistas es impresionante. A Bernie le habían informado de que un chaval —yo— tenía futuro y que algún día mi club ganaría un montón de dinero al traspasarme, pero estaba fuera de su alcance, a menos que hubiera un representante del club durante la entrevista (en la actualidad es lo más normal en todos los equipos).

Dos semanas más tarde, lo intentó.

—¿Qué se siente al saber que el mánager te tiene en tan alta estima? —preguntó.

—Es muy halagador. Tengo mucho que aprender. Me siento muy honrado al estar en este club... —respondí.

—¿Qué te parece que el mánager te haya augurado un brillante futuro?

—Me llena de satisfacción. Esperemos que tenga razón.

—¿Qué equipo seguías cuando era niño?

—El Liverpool.

Titular del lunes: «El (Futbolista Secreto) espera llegar a lo más alto». El artículo continuaba diciendo: «El (club X) sopesa la posibilidad del fichaje por un millón de libras del (Futbolista Secreto), pero tendrá que enfrentarse a la férrea competencia del club preferido por el jugador, el Liverpool».

Me encantaría decir que aprendí rápidamente, pero no sería verdad. A lo largo de las temporadas en las que he jugado, he caído en todas las tretas de los periodistas habidas y por haber, seguramente porque me entrego en las entrevistas y no insisto en que haya un representante del club presente, que molesta sobremanera a los periodistas (la verdad es que no siempre sale mal. Tengo un buen amigo en un periódico que después de que le contestara con sinceridad en una entrevista no me crucificó. Todavía conservo el artículo).

Cuanto más se juega, más contactos se hacen, y no

mantener relación con el mundo del periodismo es de ingenuos. Nunca se sabe cuándo se va a necesitar pedir un favor. Y, en muchas ocasiones, ese favor acaba siendo su primera plana. Incluso si la cagas, la crónica será menos crítica si se ha confraternizado con el periodista.

Un ejemplo de lo que comento me sucedió hace unos años, cuando tuve un par de aparatosas desavenencias con mi mánager. Durante mi estancia en el club, habíamos discrepado sobre muchos asuntos, y aquella situación llegó a un punto crítico después un partido importante. En aquel encuentro intercambiamos puntos de vista porque me dio la impresión de que me estaba utilizando como chivo expiatorio de nuestro pésimo rendimiento. Algo que también me molestó fue que, un par de meses antes, Paolo, nuestro inconformista delantero extranjero, le había desobedecido por enésima vez y se había salido con la suya.

Al día siguiente, el mánager convocó a todo el equipo y nos comunicó que a partir de entonces multaría con dos semanas de sueldo al que le pusiera en evidencia en público. Después se volvió hacia mí y me espetó: «¿Te has enterado? Si tienes algún problema, vienes y me lo dices. Mi puerta siempre está abierta». A lo que repliqué: «Jefe, le aseguro que si algún día quiero hablar con usted, será el primero en saberlo». Y eso resumía más o menos cómo era nuestra relación en aquel momento.

A la mañana siguiente me despertó la vibración del móvil en la mesilla. Había recibido innumerables mensajes en los que se me preguntaba si había leído uno de los periódicos sensacionalistas. Normalmente no los compro, así que hice el habitual desplazamiento sin prisas hacia el campo de entrenamiento con una sensación de desastre inminente que aumentaba con cada kilómetro que recorría, sabedor de que en el bar habría varios ejemplares a medio leer. Nada más aparcar y salir del coche me recibieron los gritos de una docena de jugadores que me esperaban en fila fuera del vestuario. «¡Aquí está! ¡Canalla! ¡Rápido, escóndete!» (esto último sigo sin entenderlo), me dijeron. Estaban como locos por darme una copia.

En el interior había una doble página muy parecida a lo que habría encargado mi mánager si, por algún motivo, le hubieran dado el puesto de director del periódico aquel día. Contenía infinidad de citas que desfiguraban lo que yo defendía, lo que había conseguido en el partido y cuál era mi motivación para jugar al fútbol. Me dolió leer todo aquello, pero sobre todo porque era una auténtica majadería. No soy especialmente violento, pero, si el mánager hubiera estado cerca, seguramente habríamos llegado a las manos.

La principal razón por la que he mantenido contacto con los periodistas que me han entrevistado a lo largo de mi carrera (y no me han crucificado) es obvia: si algún día quiero atacar a alguien, con todas mis fuerzas y donde más le duela, solo tendré que hacer una llamada. Un buen amigo mío que escribe en un respetado periódico estuvo encantado de redactar mi respuesta. A los dos días, todo el mundo sabía la verdad sobre ese mánager y por qué lo que había dicho sobre mí era mentira. El artículo es tan bueno que lo guardo en la oficina. Durante mucho tiempo lo utilicé como guía y punto de referencia para estructurar las columnas del «Secret Footballer» en *The Guardian*. Nunca he estado a la altura de ese periodista, pero no cabe duda de que me fue de gran ayuda.

Aquel suceso fue la culminación en lo que respecta a sacar partido de los medios de comunicación y, a pesar de que mi situación en el club fue de lo más incómoda, no me importó. Había merecido la pena. Había demostrado que no soy un adulador y, lo que es más importante, los dos sabíamos que, si volvía a hacer algo semejante, yo tenía tantos amigos en los medios de comunicación como él. Y, en este deporte, es un comodín muy valioso. Basta con fijarse en la forma en que reaccionaron los medios de comunicación ante la noticia de que Roy Hodgson había sido nombrado técnico de la selección inglesa en vez de Harry Redknapp, favorito de los periódicos.

Que yo sepa, Bernie sigue escribiendo sobre el mismo club en el periódico local. No creo que tuviera intención de crucificar a nadie, en cualquier caso no lo hizo queriendo. Imagino que lo que le gusta es el frenesí del periodismo. Para él lo importante era que la historia se publicara lo antes posible, antes de pasar a la siguiente y recurrir a lo que fuera necesario para conseguir una primicia, sin detenerse a pensar en las consecuencias. La verdad es que estoy convencido de que lo que echa de menos es el ritmo frenético de trabajar en un periódico de una gran ciudad. Es un poco como jugar al fútbol: una vez que se ha estado en los niveles más altos, lo demás son sucedáneos. Ahora sé por qué me gustaba Bernie, a pesar de sus intentos por degradar a todos los jugadores del club. En cierta forma, se parecía mucho a mí. A la hora de poner a alguien en su sitio estoy dispuesto a todo, y él mostraba la misma determinación cuando quería publicar una historia antes que nadie, sin importarle a quién molestara en su empeño.

Dejé atrás a Bernie cuando empecé a triunfar, pero, al igual que casi todo el mundo que he conocido en el fútbol, me dio una lección. Quizá parezca una perogrullada, pero si en el fútbol se mete la pata, los periódicos lo publican. Entre según qué periodistas no se pueden tener amigos, solo conocidos.

En mi siguiente club, conocí a un periodista que me hizo espabilar de verdad. Cuando firmé, incluso el presidente me advirtió que no hablara con él (seguramente lo había despellejado en alguna ocasión). Algunos de los veteranos me comentaron que un grupo de aficionados le había acorralado cerca de unas tiendas, en la zona más peligrosa de la ciudad, y le había dado una buena paliza. No llegué a enterarme del motivo, pero si los hinchas se habían vuelto contra él, estaba claro que no era una persona en la que se pudiera confiar.

Era un club importante y el periodista en cuestión enviaba historias a la prensa nacional a cambio de una comisión. Es algo de lo más normal, pero llegó un momento en el que cualquier cosa que pasara en nuestro club acababa aireado en todo el país. Mientras jugué con esos colores, publicó historias sobre amenazas de muerte, conducción bajo los efectos del alcohol, sobredosis y agresiones. A cualquier persona que lo viera desde fuera debíamos parecerle el club problemático por excelencia. Pero nada estaba más lejos de la realidad. Siempre que vuelvo a ese club rehúso toda entrevista, solo para fastidiar a ese idiota.

Todo esto no quiere decir que no proporcionaran una carnaza exquisita para la prensa sensacionalista. Cuando nuestro club empezó a cosechar triunfos, las cosas cambiaron radicalmente. Las mujeres y las novias que hasta entonces habían pasado inadvertidas se hicieron famosas de la noche a la mañana y se dedicaron a llevar a sus parejas a los entrenamientos en Range Rovers nuevos para que les sacaran fotos. Una de esas criaturas incluso tuvo la desfachatez de decirle a mi media naranja que la llamara «reina» (en serio). Hace poco me la encontré en el Festival de Cheltenham y, a pesar de que me vio, no sonrió, saludó ni dijo nada. Pero bueno, yo también he olvidado su nombre.

Notamos el éxito casi enseguida. Al final de los entrenamientos, siempre había coches de policía para escoltarnos, que pararon a prácticamente todos los jugadores al menos en una ocasión por faltas leves, como luces de freno defectuosas o utilizar el móvil mientras conducían. A mí me seguían a menudo, imagino que para ver si cometía alguna infracción. Fue una locura y, por supuesto, todo aquello apareció en la prensa.

Jugar en la Premier League es un sueño hecho realidad, pero fuera del terreno de juego lo cambiaría por prácticamente cualquier cosa. A veces es difícil afrontar la presión, y siempre me ha costado sobrellevar la frustración de no poder decir cómo me siento por miedo a que me crucifiquen o a que «malinterpreten» mis palabras, como dicen en la canallesca. Imagino que es la razón por la que suelo guardármelo todo y después conceder una gran entrevista en la que me sincero. Luego me retiro y espero las consecuencias.

Pero no se puede tener lo uno sin lo otro. Los medios de comunicación son vitales durante los mercados de fichajes. Los agentes los utilizan y declaran que hay equipos interesados en sus jugadores, para conseguir ofertas de los clubes que prefieren. La mayoría de los rumores que aparecen en las últimas páginas de los periódicos son solo cháchara de agente. Puede que se vaya a traspasar al jugador en cuestión, pero, en muchas ocasiones, el equipo que aparece en el periódico es un cebo. Es el truco más antiguo en la chistera de un agente, pero, por extraño que parezca, sigue funcionando. En los primeros tiempos del canal de deportes Sky News 24, era muy fácil que incluyeran noticias en el teletexto, y algunos de los jugadores las enviábamos cuando estábamos en casa. Solíamos desafiarnos a llamar para informar de una historia falsa, al tiempo que proporcionábamos el teléfono de un agente, que en realidad era otro jugador. Alguno de los empleados de Sky llamaba para confirmar la información y al instante se leía en la parte inferior de la pantalla: «Wayne Rooney ficha por tres años en el Grimsby». En la actualidad es imposible gastar ese tipo de bromas.

Gracias al dinero que invierte Sky en la Premier League, algunos jugadores tienen oportunidad de seguir desempeñando un papel en el fútbol, aunque como comentaristas o expertos. De hecho, los miles de libras que supuestamente gana Alen Hansen en cada programa de *Match of the Day* hacen que ese tipo de puestos estén tan cotizados como los de titular en un club de los grandes. Cuando estoy lesionado, a menudo me piden que analice el partido del día, o que sea comentarista o que les conceda una entrevista para los periódicos locales (los de tirada nacional prefieren alguien que haya jugado ese día, pero a los locales no les importa que se hable de uno mismo, pues necesitan llenar el periódico toda la semana).

Ser analista es algo en lo que pienso a menudo, aunque una vez declaré públicamente que, hasta que no hubiera un puesto para el que me considerara adecuado, no me interesaba. Por ejemplo, hace años nadie habría imaginado que una televisión contaría con un ejército de exjugadores que recorren el país para informar sobre los partidos del fin de semana, aunque sin imágenes. Es lo que se hace en la actualidad. Además, Gary Lineker ha demostrado que un exjugador puede sentirse cómodo trabajando en distintos medios de comunicación, mientras que Gary Neville ha aportado su erudición a Sky al sustituir al trasnochado y desfasado Andy Gray. Por el contrario, Robbie Savage ha dejado bien claro que es igual de fácil hacer el ridículo en el terreno de juego, en la pista de baile o como comentarista, y que te paguen.

Ya he dicho anteriormente que retirarse del fútbol y realizar un sueño diferente es desperdiciar el talento. A pesar de que lo dije en relación con ser entrenador (cuando los mejores jugadores se retiran se desaprovechan muchos conocimientos), no estoy tan seguro sobre dónde transmitir todo lo que he aprendido. Por un lado, siempre he deseado entrenar a juveniles, pero es una actividad en la que no se gana prácticamente dinero, a no ser que se consiga una agencia que represente a los chavales. Personalmente, creo que presentaría un conflicto de intereses, lo que no quiere decir que no suceda muy a menudo. Por otro lado, siendo comentarista, que es mi segunda opción, se cobra bien. Cuando las televisiones y las radios empezaron a pedirme que colaborara regularmente, rechacé sus propuestas por la simple razón de que, si pasaba demasiado tiempo en sus programas, la gente se preguntaría por qué no estaba jugando. En mi opinión, si no se está en el equipo titular, es mejor mantenerse alejado del candelero. Sin embargo, la pega es que si no se puede jugar debido a una lesión, seguramente habrá una reducción en las primas. No se cobra por jugar el partido ni hay prima por ganar y, en función del tipo de contrato que se tenga, también repercute en el suelo.

Al final, la BBC me ofreció las habituales cuatrocientas libras como honorarios por servicios prestados (comentarista), que acepté de buena gana. Disfruté con la experiencia y volvería a repetirla, a pesar de que me preocupa que me encasillen. Con todo, no diré que el dinero que se ofrece no sea el mayor aliciente a tener en cuenta. Siento dar la impresión de que todo se reduce al dinero, pero es la verdad y la razón por la que muchos otros compañeros se ofrecen para esos trabajos.

Sky me ha pedido que colabore como analista, pero no creo estar en ese momento de mi carrera. Paga mil quinientas libras, una cantidad nada desdeñable por pasar una tarde analizando un partido de fútbol. Un amigo que lleva un tiempo en el circuito, me dijo que en la BBC le pagaban mil libras y que le llevaban y le traían en coche desde casa, que está en el otro extremo del país. Sin duda, uno se puede ganar bien la vida después del fútbol. Cuando iba a *Soccer AM*, solía avergonzarme de las ochocientas libras que me pagaban, porque nos lo pasábamos en grande. Después del programa nos íbamos a tomar unas cervezas al pub que frecuentaban los empleados y hablábamos de fútbol. Mantengo contacto con alguno de ellos. Es cierto que ahora ya no es lo mismo, pero entonces era un programa estupendo.

Hace años, cuando decía que jugaba al fútbol, la gente hacía cola para hablar conmigo y pagarme copas sin importar en qué equipo jugase. Hoy en día, cuando salgo con mis amigos, he de tener cuidado. Todo el mundo parece ser periodista. Si os presentan a un futbolista y os da la impresión de que es un gilipollas maleducado y arrogante, seguramente está imitando una carrera de Geoffrey Boycott, nada espectacular y sin dar ninguna oportunidad al contrario. O eso, o acabáis de conocer a Ashley Cole.

Sea cual sea el resultado del informe Leveson, no impedirá que la gente siga poniéndose en contacto con los periódicos sensacionalistas para decirles que ha visto a un jugador saliendo de un hotel con una joven que no era su mujer. Me gustaría ser más sincero con los aficionados que me preguntan cómo funciona realmente el fútbol, pero me han crucificado tantas veces que para mí lo único factible es hacer voto de silencio, más allá de lo que diga en este libro, claro está.

CAPÍTULO 5

LAS TÁCTICAS

Por un lado, el fútbol es un juego muy simple. Por otro, y al abrigo de miradas indiscretas, es uno de los espectáculos de malabarismo más complejos del mundo del deporte. Para que un equipo tenga éxito, a cualquier nivel, se necesita un maridaje perfecto entre las tácticas, los jugadores y el entrenamiento. Hace años habría opinado que si un equipo tiene los mejores jugadores siempre gana, pero en la actualidad no puedo negar la importancia de una dirección inteligente y del juego táctico.

Pongamos por ejemplo al Chelsea. En la temporada 2011-2012, con las tácticas y el estilo de dirección de André Villa-Boas, el equipo fue perdiendo puestos en la Premier League y estuvo a punto de que lo eliminaran de la Champions League. Tras cambiar de mánager, experimentó una espectacular recuperación, eliminó al defensor del título, el Barcelona, y en la final derrotó al Bayern Múnich en su campo. Roberto di Matteo contaba con los mismos jugadores, pero los utilizó de forma más eficaz. El Chelsea jugaba menos abierto y era más difícil de batir. Volvió a reinar la armonía en el vestuario y los rumores sobre el malestar en la plantilla se desvanecieron de la noche a la mañana.

En la actualidad, los equipos que compiten en los niveles más altos están tan igualados que un título puede depender de una única decisión de un mánager. Quizá recordéis un aburrido partido entre el Newcastle y el Manchester City en St. James' Park a finales de la temporada 2011-2012. Si quería ponerse por delante del Mánchester United en la lucha por el título, el City tenía que ganar. A menos de media hora del final y sin haber marcado, es fácil imaginar a la parte azul de la ciudad gritando ante el televisor para que sacaran otro delantero. En vez de ello, Roberto Mancini, mánager del City, quitó a Samir Nasri, uno de los jugadores más ofensivos, y lo sustituyó por Nigel de Jong, un centrocampista. Seguro que, en un primer momento, muchos aficionados del City se rascaron la cabeza sorprendidos e incluso los comentaristas se quedaron perplejos. Sin embargo, aquella sustitución permitió que Yaya Touré, que había estado ayudando en tareas defensivas, avanzara su posición. Menos de diez minutos después, De Jong le hizo un pase a Touré, que estaba jugando ya veinte metros más adelantado. Hizo la pared en el borde del área con Sergio Agüero y lanzó un disparo a la esquina inferior de la red del Newcastle. Veinte minutos después volvió a marcar.

Con una buena dirección nada sucede por casualidad o azar. Conocer a fondo a cada jugador es vital en el juego actual y, tal como demuestra el ejemplo anterior, marca la diferencia entre el éxito o el fracaso. Cuando los seguidores y los comentaristas se desesperaban ante el rumbo que estaba tomando el partido, Mancini mantuvo la serenidad y el City obtuvo la recompensa.

Con esto no quiero decir que siempre funcione. De hecho, puede salir terriblemente mal, pero hoy en día es fundamental estar al tanto del equilibrio del partido en todo momento y saber cuándo conviene poner en práctica según qué tácticas. Puede que parezca obvio, pero las circunstancias no siempre permiten que un mánager utilice la estrategia que tiene *in mente*.

En una ocasión, un mánager me dijo que a los cinco

minutos de comenzar un partido en Stamford Bridge entre el Chelsea y el Manchester United, Alex Ferguson se temió que su equipo iba a perder, por la forma en que el Chelsea contrarrestaba el juego de Cristiano Ronaldo. Al parecer estuvo tentado de sustituirlo rápidamente, pero desistió de la idea por la impresión que iba a causar, sobre todo con tan poco tiempo jugado. Sin duda se hallaba ante una situación difícil. ¿Cómo iba a retirar nada más empezar un partido contra su máximo rival al jugador estrella del club, que había marcado casi todas las semanas y no estaba lesionado? La confianza en sí mismo de Ronaldo y la reputación táctica de Ferguson se habrían visto terriblemente perjudicadas, sobre todo si perdía el United.

El nivel de detalles que se tienen en cuenta en un partido no deja de sorprenderme. Cada jugador tiene su propio guion: qué hacer, cuándo hacerlo, información sobre el jugador que va a marcar (peso, edad, puntos fuertes, debilidades), incluso qué hará cuando le llegue el balón en ciertas situaciones. Memorizamos todas las jugadas preparadas, dónde hemos de estar, correr y acabar, e incluso lo que va a hacer cada futbolista, para así saber dónde se colocará cada uno en un momento determinado.

Reconoces un pase cuando te preguntas: «¿Cómo lo ha visto?». A menudo, no necesita verlo, sabe que el jugador estará allí porque la noche anterior, en el hotel, ha estado documentándose sobre sus desmarques. Sucede exactamente lo mismo con el pase que te deja pensando: «¿A quién iba?». El jugador que iba a recibirlo o se había olvidado de estar en su posición o una maniobra táctica de su marcador lo había obligado a no poder participar en la jugada. El fútbol a ese nivel es como el ajedrez, en especial para los que participan en el juego. A veces me pregunto si no disfrutaría más jugando en divisiones inferiores. Al fin y al cabo, ¿a quién le gusta jugar al ajedrez?

El fútbol en los niveles superiores es tan complejo que resulta muy difícil deconstruir un partido en directo a los pocos minutos de finalizado. Por eso los análisis se reducen a los goles y al rendimiento individual. Con todo, el hecho de que muchos expertos ni siquiera intenten arañar la superficie, a pesar de que saben lo que cuesta ganar un partido en ese nivel, me molesta. Es una trivialización de nuestro juego por parte de gente que solíamos considerar de los nuestros y, lo que es más importante, priva al espectador de algunos cotilleos interesantes que, imagino, enriquecerían el espectáculo.

Cualquiera puede utilizar un iPad gigante y pasar caras de jugadores famosos al tiempo que suelta frases como «pase al tercer jugador» y tonterías de ese estilo. Lo que los espectadores quieren es alguien como Gary Neville, que ha sido una bocanada de aire fresco en Sky. Neville, que acaba de retirarse, ha aportado un conocimiento genuino y relevante a los partidos, y explica «cómo» y «por qué» pasan las cosas, en vez de limitarse a contar «qué» ha pasado. También es muy tozudo, pero con un estilo que ni es arrogante ni busca menospreciar al espectador, a diferencia de Robbie Savage, cuya premisa es «Yo he jugado y tú no», con lo que si grito más, gano.

Lo que más me molesta de un analista o de un comentarista es que diga cosas como: «No entiendo, Martin, por qué no está Drogba en este poste. Ese cabezazo le habría ido directamente a él y Petr Čech le habría gritado: "¡Despéjala por mí!"».

La verdad es que los saques de esquina los suele despejar un jugador situado en la línea del área pequeña, exactamente en el lugar en el que el Chelsea coloca a Didier Drogba. Si alguien marca por ese lado, es porque un jugador no ha hecho bien el marcaje. El segundo gol de Andréi Shevchenko en el partido Ucrania-Suecia de la Eurocopa 2012 fue un ejemplo que viene al caso. Mikael Lusting no se cubrió de gloria exactamente al descuidar la línea de gol, pero no habrían marcado si Zlatan Ibrahimovich, que se había colocado en la esquina del área pequeña, se hubiera adelantado al remate de cabeza de Shevchenko. En vez de ello, perdió la concentración, y el jugador ucraniano, tras un inteligente movimiento, se puso delante.

Lo que intento decir es que si hay un jugador en el palo, seguramente despejará uno o dos remates de cabeza por temporada. Si ese mismo jugador se coloca en la línea del área pequeña, es probable que despeje cien saques de esquina cada temporada. Con todo, lo peor es cuando esta basura llega a la cultura popular y mis amigos empiezan a decir estupideces como: «Deberíamos colocar un jugador en el palo, el mánager no sabe lo que hace», y lo dicen simplemente porque parece la frase más adecuada.

Hay otros ejemplos que son menos obvios, pero en los que la línea entre la realidad y la ficción no está bien definida. La mejor forma de crear un chivo expiratorio en el análisis de las mejores jugadas del partido es que un defensa se enfrente a un atacante en posición reglamentaria. Para los que no hayan caído en la cuenta, en la actualidad el fuera de juego ya no se practica. Los defensas dejan a los atacantes en fuera de juego cuando es evidente, pero ningún equipo, en especial en la Premier League, dedica tiempo en los entrenamientos a intentar dejar en fuera de juego a los contrarios. El último equipo que vi que lo practicaba en juego abierto fue el Chelsea de Villas-Boas contra el Arsenal en el 2011. Y por eso perdieron, después de que John Terry resbalara cerca de la línea de medio campo, cuando era el último hombre. Para mí, el jugador que tiene el balón nunca debería de ser el último hombre, por esa misma razón. Sin embargo, se producen situaciones en las que la defensa ha de sopesar las posibilidades del fuera de juego.

Cuando un extremo tiene el balón, suele intentar avanzar hacia la línea de fondo para centrar, lo que, naturalmente, atrae a la defensa cada vez más hacia su portería, pero, en cuanto se gira sobre su «otro pie» (para hacer un pase a pie cambiado), la defensa siempre se adelanta e intenta llegar al borde del área porque es una forma segura de dejar al atacante en fuera de juego, pues corre en dirección opuesta a los defensas. Cuando un extremo hace un recorte, fijaos en la defensa: si está bien entrenada, se adelantarán todos a la vez. Algo que también deja libre la zona de penalti para que el portero intercepte el centro sin que nadie le obstaculice. Y, ya que hablamos de extremos que controlan antes de hacer un pase a pie cambiado, cabe decir que es algo que molesta muchos a los centrocampistas y delanteros, pues corren hacia el área para esperar el centro, pero han de hacer una doble carrera debido al retraso en el pase.

Las tácticas son cada vez más importantes, pues los clubes intentan maximizar su estilo de juego y los recursos que tienen a su disposición. En la última década se ha prestado mucha más atención al análisis estadístico del fútbol, y por ello todos los clubes de la Premier League cuentan con un equipo que estudia las imágenes y los datos de sus jugadores y los de sus oponentes.

La primera vez que presencié un análisis estadístico fue cuando utilizaron por primera vez monitores cardíacos en los entrenamientos. Ese avance tecnológico implica que ahora podemos bajar la pelota con el pecho, en vez de dejar que bote. Al igual que con toda nueva tecnología relacionada con los jugadores, los que tuvimos que utilizarlos los recibimos con absoluto desdén. Nos dio la impresión de que la única razón para que los utilizáramos era saber qué jugadores salían del entrenamiento sin necesitar una botella de oxígeno. Fue la primera de las modas que me tocó experimentar y que nos retrasan cinco o diez años.

Por suerte, la tecnología avanza rápidamente y pronto apareció Prozone para demostrarnos las ventajas de datos como pases completados y llegadas a zona de ataque, seguimiento de los movimientos de los jugadores, distancia entre los defensas, interceptaciones y pérdida de balón. En mi opinión, algunos elementos del sistema Prozone han puesto de relieve las cualidades de algunos jugadores que se habrían pasado por alto, en especial las de centrocampistas defensivos como Mikel John Obi, Wilson Palacios y Nigel de Jong. No hay que olvidar que, básicamente, las interceptaciones de estos tres jugadores marcan el comienzo del ataque de su equipo.

Este tipo de estadísticas nunca me han importado mucho, porque siempre he pensado que un futbolista no necesita que nadie le diga si ha jugado bien o mal. Pero cuando cuelgan esas cifras en el vestuario para que las vea todo el mundo, es imposible no volverse competitivo. Obviamente, por eso las colocan allí. En uno de los clubes a los que pertenecí, había dos jugadores que se dedicaban a superarse el uno al otro en los partidos, y después también en los entrenamientos, sin otro motivo aparente que el de que sus nombres destacaran en las estadísticas de Prozone.

También hay que tener en cuenta que esas estadísticas están al alcance de todo el mundo, así que cuando nos enfrentábamos a equipos dirigidos por un mánager al que, según me habían comentado, «gustaba», no podía dejar de correr un poco más, esforzarme por rematar más veces de cabeza y hacer más entradas para impresionarle. Es lo que hice en un partido contra un club de las Midlands del que se rumoreaba que quería ficharme. Por desgracia, me hicieron una entrada muy fuerte por la que debería haber pedido el cambio, pero seguí jugando, en contra de la recomendación del fisioterapeuta, y fue uno de mis peores partidos. Aquello acabó con toda esperanza de un posible traspaso.

Hoy en día, los jugadores saben bien el valor de las estadísticas, sobre todo en la pretemporada, cuando los chalecos que nos ponemos, que cuestan quince mil libras cada uno, permiten que los científicos del deporte conozcan en tiempo real lo que nos estamos esforzando. Y no es para sermonear a alguien por no esmerarse, sino para prevenir lesiones y evitar contracturas. Todos somos diferentes y, gracias a la tecnología, los clubes confeccionan programas a medida para cada jugador, según su capacidad física. En otras palabras, los días en que los jugadores subían y bajaban las gradas corriendo o en los que te enviaban a un campamento militar para «hacerte sudar tinta» durante una semana se han acabado.

Los fichajes son un área en el que las estadísticas han influido sobremanera en los últimos años, gracias a la filosofía tipo *Rompiendo las reglas*, que utilizó por primera vez Billy Beane, mánager general del Oakland Athletics, en el béisbol. Su equivalente en el fútbol, *¡El fútbol es así!*, analiza las cifras y los datos de jugadores que se utilizan para proporcionar un cariz competitivo a los equipos. No se trata necesariamente de encontrar gangas en el mercado de traspasos, sino que es una forma de proporcionar al club jugadores que encajen con el ideal táctico del mánager o el director deportivo.

Damien Comolli, antiguo director deportivo del Liverpool, utilizó una versión de *¡El fútbol es así!* en Anfield, aunque es difícil que tuviera la última palabra en los jugadores que se incorporaron durante el tiempo que trabajó para el club. Esto es lo que comentó Comolli sobre Luis Suárez en una entrevista para *France Football* en el año 2011: «Cada vez nos inclinamos más por jugadores que no se lesionan. También tenemos en cuenta la cantidad de asistencias, el rendimiento contra grandes equipos, clubes modestos, en la Eurocopa, y la diferencia entre goles marcados en casa y fuera de casa».

Para la mayoría de nosotros, analizar esos datos es obvio cuando se ficha a un jugador. Quizás un buen ejemplo de puesta en práctica de la filosofía de ese libro sea la incorporación al Liverpool del lateral izquierdo José Enrique, otro fichaje de Comolli avalado por unas estadísticas sensacionales. Según se dice, como el club no consiguió a Gaël Clichy, Comolli recurrió a José Enrique tras descubrir que sus datos estadísticos eran mucho más impresionantes que lo que indicaba el informe del ojeador. También era mucho más barato que Clichy, en lo que se refiere al traspaso y al sueldo. Al parecer, lo que más destacaba en los datos sobre José Enrique eran los pases completados y sus llegadas a la zona de ataque; y también podría atribuírsele el haber intervenido directamente en muchos de los goles del Newcastle.

Las estadísticas de Stewart Downing en su última temporada en el Villa también eran fabulosas, algo que parecerá inverosímil a los seguidores del Liverpool, dado su rendimiento en el primer año en Anfield, en el que no marcó ningún gol en la Premier League ni dio ninguna asistencia. No sé lo que sucedía entre bastidores en el Liverpool, pero lo que las estadísticas nunca mostrarán son las variables personales relacionadas con todo traspaso y que pueden repercutir en el éxito del jugador. Todos recordamos buenos jugadores que han tenido que esforzarse para estar a la altura de su precio cuando han llegado a un nuevo club.

Cuando di el gran salto económico, las estadísticas de Prozone no indicaban que mi mujer era muy feliz donde vivía porque estaba rodeada de sus amigos y familiares, y porque tenía un trabajo que le encantaba. Todo aquello desapareció de la noche a la mañana, lo que provocó que se sintiera aislada y triste. En esos tiempos saltaba al terreno de juego con esa carga encima, además de la presión y la responsabilidad de que un club de esa categoría hubiera confiado en mí.

En la Premier League, en la que una docena de clubes están muy igualados en cuestión de jugadores, muchos partidos se resuelven gracias a estrategias o jugadas cuidadosamente coreografiadas en los entrenamientos, en los que una preparación meticulosa y un análisis estadístico marcan la diferencia. Según mi experiencia en varios clubes, en el juego abierto se estudia a fondo el cálculo de lo que se describe como llegadas a la zona de ataque, llegadas al área de castigo y recuperaciones del balón en la zona de ataque («juego de presión» del Barcelona).

El estilo del Stoke City es el ejemplo más básico de la filosofía reflejada en el libro *¡El fútbol es así!* Normalmente, todos los defensas buscan al delantero Peter Crouch en una esquina (llegada a la zona de ataque), que, a su vez, intenta bombear el balón a su compañero o a algún centrocampista en la zona de penalti (llegada al área de castigo). Ni que decir tiene que cuanto más elevadas sean las estadísticas de estas dos jugadas, más posibilidades tiene el Stoke de acabar con un disparo a puerta.

Si se añaden los pases largos de Rory Delap y la altura de los jugadores, que intentan explotar en jugadas ensayadas, no sorprende que el Stoke consiga muchos de sus goles en o cerca del área pequeña, en la que colocan a varios jugadores que hacen desmarques preparados individualmente. Una de las tácticas que llevan a cabo con mucho éxito es el «bloqueo». La utiliza en los tiros libres y en los saques de esquina, en los que un jugador se coloca literalmente delante del que está haciendo un marcaje mientras un compañero corre frente a la portería o «desde atrás», normalmente en un tiro libre. La mayoría de los equipos pone en práctica alguna variante del bloqueo y, si el balón llega a la zona deseada, es muy difícil de defender.

Una de ellas se vio en el trascendental derbi en el

Eastlands de Mánchester a finales de la temporada 2011-2012, cuando Vincent Kompany metió de cabeza el único gol en un saque de esquina cuando estaba a punto de acabar la primera parte. El elemento clave del bloqueo no es tanto lo que esté sucediendo en el área, sino la calidad del envío. Por mucho que los jugadores cumplan su cometido, si el balón no cae a medio metro de donde debería hacerlo, la jugada ensayada se malogra.

Por lo general, el balón se envía hacia el área pequeña. Un jugador se coloca delante del portero para que no pueda atraparla con facilidad, mientras que el resto de sus compañeros se mueven. El equipo atacante suele tomar como referencia al jugador que echa a correr después de que el que ha sacado de esquina haga una señal con la mano; en teoría, es lo que indica que a partir de entonces todos están sincronizados. Lo inusual en esa jugada ensayada fue que el balón iba dirigido en concreto a Kompany. Habitualmente, como con el Stoke, varios jugadores se pelearán por ella.

El United debió de darse cuenta de que la jugada estaba preparada cuando Joleon Lescott se colocó de espaldas a la portería en el borde del área pequeña a la altura del poste, aunque evidentemente no sabían hacia dónde se dirigiría el balón. Kompany echó a correr dentro del área hacia Lescott. En cuanto Kompany consiguió que el jugador que le marcaba, Chris Smalling, se acercara a Lescott, dio dos pasos hacia la izquierda, suficientes para conseguir un metro extra, mientras Lescott le daba un ligero empujón hacia la derecha a Smalling. El pase fue perfecto, por «detrás de la línea defensiva», y, como estaba previsto, el City ganó el partido.

En lo que respecta al éxito de *¡El fútbol es así!*, el Stoke es un buen ejemplo de la armonía necesaria entre las tácticas y los jugadores capaces de ponerlas en práctica, mientras que el Manchester City es el modelo de equipo que cuenta con jugadores de talla mundial y puede elegir uno de ellos en vez de sopesar las posibilidades en cada jugada estudiada.

Un amigo futbolista me contó que, en el Bolton, Sam Allardyce estudió cientos de saques de esquina en la Premier League para ver dónde solían caer los despejes de cabeza. Una vez identificada la pauta (normalmente es un despeje desde el primer palo hacia la caseta), colocó a un jugador en el lugar preciso en el que el balón acostumbraba a tocar tierra, con lo que las posibilidades de que el Bolton recibiera un gol en la segunda parte de ese tipo de jugadas se redujo radicalmente.

Hace años, en mi primer club, el mánager pasaba horas diseñando jugadas ensayadas que después nos explicaba en los entrenamientos. Un espacio que casi siempre se ocupa en todas las fases del partido es el que he mencionado antes, cuando hablé de Charles Hughes y la «posición de máxima oportunidad» (pomo). El pomo es el lugar en el que se sitúa un delantero, normalmente después de zafarse del portero en un saque de esquina. A menudo, está delimitado por la línea del área pequeña y el segundo palo, y es importante porque un alto porcentaje de los remates de cabeza del equipo atacante se peinan hacia esa zona. Dios no quisiera que uno de nuestros delanteros no se encontrara allí. «¿Qué prefieres, hacerte millonario o pasar el resto de tu carrera en el maldito Dog and Duck?», solía preguntar el mánager si ese espacio estaba vacío.

Con todo, el fútbol no se reduce a un lanzador que intenta engañar al bateador. Es un deporte de equipo y ninguna estadística tiene en cuenta a dos jugadores que no soportan estar en la misma habitación, por muchas llegadas que hayan hecho a la zona de ataque en las dos últimas temporadas. Y, lo que es más, mientras tengamos mercados de fichajes, el «precio» siempre será un término subjetivo. Puede que Andy Carroll tenga unas estadísticas extraordinarias, pero debido al aumento en el saldo del Liverpool por la venta de Fernando Torres al Chelsea, su desesperación por conseguir un delantero y la cercanía al fin del mercado de fichajes hicieron que su precio se distorsionara.

En el terreno de juego hay muchas formas de que un jugador tenga ventaja. Siempre que peino el balón a un compañero que esté en la misma banda, pongo el brazo en el hombro del jugador que hay detrás de mí para evitar que salte. Siempre consigo cabecear y los árbitros no suelen verlo. En una falta o en un saque de esquina hacia el área, espero a que el jugador que me marca mire hacia el balón y tiro de su brazo hacia mí para que pierda el equilibrio; en cuanto un defensa lo pierde, ya no lo recupera. Ese metro extra lo es todo en el fútbol, y esa táctica la única forma segura que conozco de zafarme del jugador que me marca. Metí unos cuantos goles gracias a ella. Lo bueno es que en el siguiente saque de esquina el defensor siempre se coloca a un metro de distancia para que no lo desequilibres por segunda vez.

El engaño individual es una cosa, pero lo que prevalece es el esfuerzo colectivo; hoy en día, tal cosa la demuestran casi todos los equipos del país y del extranjero. Cuando empecé a jugar al fútbol, los únicos equipos que parecían cambiar su formación eran Brasil y Holanda. Holanda utilizaba en ocasiones el sistema del líbero; Brasil inventó el carrilero.

Conforme los jugadores se han ido sintiendo más cómodos y más rápidos con el balón, ya no son necesarios dos delanteros centros, sobre todo en las divisiones superiores. Samuel Eto'o en el Inter de Milán y David Villa en el Barcelona jugaban en lo que se conocía como extremo izquierdo y extremo derecho, con un resultado evidente: los pases provienen de los defensas (o no, en el caso del Barcelona), y el habitual juego por las bandas está tan en desuso como el fuera de juego. En el juego moderno, todo el mundo quiere emular a España y, en última instancia, al Barcelona, en el que cinco o casi seis centrocampistas juegan en todo el campo e interactúan lo más rápidamente posible. Las entradas, como forma de recuperar el balón, se van reemplazando poco a poco por el juego de presión a ritmo vertiginoso, en el que lo importante es recuperar la posesión lo más adelantado y rápido que se pueda.

¡Cómo han cambiado los tiempos! Cuando empecé a jugar, las únicas órdenes que se oían gritar al mánager eran: «¡Que sepas que aún queda mucho partido! ¡Roba el balón en las entradas!», y, con algo menos de agresividad, «¡En caso de duda, despeja!». Han pasado muchos años, pero en la actualidad hasta las moscas en la pared del vestuario oyen: «¡Conserva el balón!», «¡Asegura los pases!» y «¡No te tires si no es necesario!». A la velocidad a la que se juega, tirarse significa que ese jugador está temporalmente inactivo, lo que puede marcar la diferencia entre estar en el sitio adecuado para evitar un gol o volver a la formación para sacar desde el centro después de que te hayan marcado uno.

Uno de los grandes problemas para los árbitros es que resulta casi imposible determinar si la intención del jugador es robar el balón o hacer falta. Eso nos coloca a todos (jugadores incluidos) en una situación incómoda, porque lo que para unos es un dictamen acertado, para otros es favoritismo. Hay pocas soluciones inmediatas, pero, en mi opinión, el único recurso es alentar a las próximas generaciones de jugadores a que abandonen las entradas y se concentren más en las verdaderas técnicas del juego. Es una pena que a la mayoría, y me incluyo, nos guste hacer entradas, tanto si se va a robar el balón como si no.

Uno de los extranjeros con más éxito en la Premier League, Xabi Alonso, ofreció una explicación irrefutable de por qué Inglaterra no rompía internacionalmente: «No creo que hacer entradas sea una cualidad —comentó el español—. En el Liverpool solía leer el programa del día del partido. En uno de ellos, salía una entrevista con un juvenil. Le preguntaban por la edad, sus héroes y sus puntos fuertes, a lo que respondió: "Disparos y entradas". No me cabe en la cabeza que en la formación futbolística las entradas sean una cualidad, algo que aprender, algo que enseñar, una característica de tu juego. ¿Qué forma es esa de ver este deporte? No entiendo el fútbol en esos términos. Hacer una entrada es un (último) recurso, y es necesario, pero no es una cualidad a la que aspirar, algo que te defina».

Acabó mencionando uno de los mayores problemas a los que se enfrenta la siguiente generación de jugadores de Inglaterra: «Es algo difícil de cambiar porque está muy enraizado en la cultura futbolística inglesa». En los partidos, el público grita entusiasmado ante la lucha por el balón, y a menudo se oyen aplausos, incluso si no se ha conseguido la posesión. Para algunos jugadores es la forma en que se les acepta y cómo juzgan si han hecho un buen o mal partido.

Una vez le hice una barrida a Dimitar Berbatov (realmente creí que podía robarle el balón) y me miró como si le diera pena. Me dio la impresión de que le entristecía que hubiera tenido que recurrir a aquello, bien porque no era tan buen jugador como él o por mi deficiente educación futbolística. La verdad es que creo que fue por las dos cosas.

En la temporada 2011-2012, Mancini pidió tarjeta roja para Martin Škrtel, del Liverpool, pero también acusó a Wayne Rooney de haber hecho lo mismo para Kompany. En una entrevista después de la semifinal de la Carling Cup, el mánager del City también preguntó por qué no se había enseñado la tarjeta roja a Glen Johnson, del Liverpool, antes de que Steven Gerrard hiciera un comentario sobre el doble rasero del italiano. No me gusta que los mánager o los jugadores pidan tarjetas rojas, pero yo también he cometido ese crimen. Una vez le pedí al árbitro que expulsara a John Terry, pero solo conseguí que se llevara una tarjeta amarilla y una buena reprimenda para mí, sobre todo por parte del árbitro. Admito que es un truco barato que daña la imagen de un jugador. Dicho lo cual, me siento mucho mejor cuando gano un partido que cuando lo pierdo.

Todo el mundo quiere jugar en un equipo que pasa el balón, pero la mayoría de los jugadores se alegrarían de estar en situación de poder elegir. Al comienzo de su carrera, un futbolista se contenta con estar jugando, pero, con el tiempo, se vuelve un poco más exigente sobre lo que quiere. Cuando un jugador abandona un club descontento, se le suele oír comentar: «Quiero estar en el primer equipo más tiempo». A veces es realmente lo que pasa, pero también conozco a docenas de futbolistas que se han ido de clubes porque no les gustaban las tácticas que utilizaba el mánager. Algo que suele tener su repercusión, pues, si se lo dicen a sus compañeros y se corre el rumor, tales comentarios pueden disuadir a otros jugadores de firmar por ese club.

CAPÍTULO 6

EL ESTRELLATO

Siempre me preguntan cuál es el mejor futbolista contra el que he jugado, pero nunca sé cómo contestar. He compartido terreno de juego con Rooney, Henry, Ronaldo, Van Persie, Alonso, Drogba y Bale, por nombrar algunos. Incluso tengo algunas de sus camisetas en una bolsa de IKEA bajo un lavabo (lo explico más adelante). No es muy respetuoso, pero en las casas modernas no sobra el espacio, así que comentadlo en David Wilson Homes.

Ninguno de esos jugadores me ha deslumbrado en un partido, seguramente porque estaba demasiado ocupado persiguiendo el balón como para fijarme en ellos. Sin embargo, cuando vi jugar a Paul Scholes entendí realmente lo que es el fútbol y lo importante que es practicar y pasar inadvertido fuera del terreno de juego para conseguir un nivel continuo de buen juego. No me extraña que Xabi opine que Scholes es el mejor centrocampista que ha visto en los últimos diez años. Lo más interesante de mi jugador favorito es que, el día que íbamos a jugar, Scholes apenas calentó antes del partido.

Fui a recoger un balón que había caído en las gradas y mientras esperaba a que los aficionados hicieran algo que les parece divertidísimo, retenerlo todo el tiempo que puedan antes de devolverlo con una fuerza innecesaria, me fijé en que Scholes y un compañero se pasaban el balón una y otra vez. Finalmente, me devolvieron el que estaba esperando. Le dije al compañero con el que estaba calentando que quería hacer unos estiramientos, para así poder contemplar lo que acabó siendo la muestra de pases y controles más espectacular que he visto en mi vida. Con los dos pies. Todos ellos impecables.

Si una cosa está clara cuando se juega en la Premier League, aparte de la calidad incontestable de jugadores como Scholes, es que no hay dónde esconderse. Ni de los aficionados ni del equipo arbitral ni, sin duda, de las cámaras. Pero antes de disfrutar del estrellato conviene recordar los inicios y cómo se ha llegado hasta donde se está. Al comienzo de mi carrera pasé un tiempo mejorando mi juego en las ligas inferiores. En aquel momento, no me importaba, porque me bastaba con jugar en un nivel superior al de un grupo de amigos que se junta para echar un partido de reservas. Me daba igual que en el campo del Gay Meadow hubiera metro y medio de agua, o que el del Sincil Bank se pareciera a una playa. Era fútbol de titulares.

Los equipos de ligas inferiores que juegan en la Premier League suelen sentirse intimidados. Esa fue la sensación que tuve la primera vez que disputé un partido en Liverpool. Su personalidad e historia están presentes por todas partes, desde que ves el cartel que reza «Esto es Anfield» a cuando subes las escaleras del túnel al son de *Nunca caminarás solo.* Ese día pensé que sería muy difícil superar aquello, una sensación por la que uno se deja llevar con demasiada facilidad.

Me reprimí y no me saqué unas fotos tocando el famoso cartel que cuelga en el túnel para enviarlas a los amigos, ni levanté la vista hacia la tribuna Kop justo antes del saque inicial, momento en el que los aficionados levantan las bufandas, por puro respeto. Jugar contra rivales prestigiosos me ha enseñado dos cosas: no mirar al otro lado en el túnel, a no ser que se conozca a alguien, y no dar la impresión, ni durante un segundo, de que no tienes nivel suficiente para estar allí, aunque el entorno sea completamente distinto al que se está acostumbrado.

La diferencia entre los clubes más importantes y los más humildes es increíble. En el club más modesto en el que jugué, de las ligas inferiores, había un utilero al que le molestaba entregarte la equipación porque tenía que lavarla él, un fisioterapeuta que lo trataba todo con ultrasonido porque era la única máquina que tenía, y un ejido que hacía las veces de campo de entrenamiento. La mayoría de los clubes en los que he jugado desde entonces cuenta con varios utileros, fisioterapeutas, masajistas y preparadores físicos, que trabajan en unas instalaciones de entrenamiento con al menos cinco campos, cinco chefs a tiempo completo y plaza de aparcamiento. Lo que no deja reflejar lo que pueden permitirse los clubes en la actualidad y no lo que realmente necesitan.

Con todo, en el fútbol menos es más. Me encantaba jugar partidos en los que las expectativas eran relativamente modestas y nadie sabía (o no le importaba) quién era yo. En ese momento de mi carrera disfruté de una libertad que nunca volveré a sentir. Iba fortaleciendo la confianza en mí mismo porque la gente estaba acostumbrada a que un joven cometiera errores mientras aprendía el oficio. Años después, el más leve fallo en un control o un pase mal calculado acababan, comprensiblemente, con una bronca. Ese tipo de actitudes ejercen presión en los jugadores para que sean perfectos, lo que en mi caso se tradujo en un gran nivel de frustración. Me encantaría recuperar la inocencia con que jugaba en mis primeros tiempos y tenerla en los partidos que disputo hoy en día.

Dicho lo cual, cuanto más abajo se desciende en la pirámide, más obvio resulta que para muchos jugadores el fútbol es un oficio para ganarse la vida. Una prolongada lesión puede marcar la diferencia entre firmar un nuevo contrato y tener que buscar otro trabajo. En uno de los clubes en los que jugué, el capitán recurrió una multa de dos semanas porque tenía que pagar la hipoteca amortizada. Si no recuerdo mal, finalmente la multa se redujo a los tres días en los que, en opinión del mánager, su rendimiento a la hora de entrenar se había visto afectado por una salida nocturna que contravenía la política del club.

Ese mismo profesional, que llevaba años en ese club, me aconsejó cómo negociar mi contrato. Tenía su propio sistema y a él le funcionaba: «No siempre hay que pedir mucho, porque cuando llegue un nuevo mánager a lo mejor quiere eliminarte de la nómina. Es mejor hacerlo progresivamente, pero sin llegar al punto en el que el mánager piense que ganas más de lo que mereces; así siempre estarás en el club y jugarás de continuo». Vale, no utilizó la palabra «progresivamente», pero eso es más o menos lo que dijo.

A mí me pareció una locura. Incluso de joven quería ganar todo el dinero que pudiera porque sabía que cuando estuviera cobrando una fortuna sería señal de que jugaba en un club de la Premier League. Pero aquel futbolista era feliz en el club en el que estaba; era de la ciudad (más o menos), sus hijos iban a un colegio cercano y su mujer tenía un buen trabajo. Trasladarse de casa y reubicar a la familia después de cambiar de club seguramente le habría salido caro. Dar ese tipo de consejos a un jugador joven que tiene futuro es, como poco, insensato, aunque entendí lo que quiso decirme, a pesar de que se hubiera adelantado quince años.

En la Premier League no existen ese tipo de preocupaciones. Los clubes pagan auténticas fortunas incluso si no juegas, solamente para tenerte como activo en los libros de contabilidad, en vez de correr el riesgo de tener que dejarte ir en un traspaso libre. Aun así existe una interesante raza futbolística: el jugador que cambia a menudo de club. En la Premier League se puede ganar una fortuna. Funciona así: si un jugador no solicita oficialmente abandonar el club en el que juega, le corresponde legalmente el resto del dinero estipulado en su contrato (si se solicita un traspaso, ese pago queda invalidado).

El truco consiste en tener un agente muy activo, al tiempo que se contrata a un gurú en relaciones públicas que consiga que la gente recuerde tu nombre gracias a entrevistas y apariciones en televisión cuidadosamente seleccionadas. En mi caso, quería dejar un club por el que había firmado porque no era titular. Debido a tal situación, el valor de mi traspaso estaba bajando y el club sabía que tenía un activo que se estaba devaluando. El problema era que ganaba un millón cuatrocientas mil libras al año y que me quedaban doce meses de contrato. En las negociaciones les dije que estaba muy contento en el club y que no deseaba abandonarlo. Al final, acordamos una indemnización de quinientas mil libras pagaderas cada tres meses durante el año siguiente. Puede que parezca un montón de dinero —seguramente porque lo es—, pero le ahorró al club tener que pagar más del doble en sueldo, al tiempo que le aseguraba el traspaso de un futbolista que no iba a jugar. Todos salimos ganando.

Abandonar ese club me permitió decidir el precio que pediría. Estaba ganando unas treinta mil libras a la semana, y el club que quería ficharme tendría que acercarse todo lo que pudiera a esa cifra, y lo hizo. Normalmente, el jugador recibe alrededor del diez por ciento del traspaso (la verdad es que esa cifra es negociable). Fue la única vez en la que me encontré en esa situación, porque prefiero estar en un equipo tanto como sea posible, pero, si se llega a un acuerdo en el contrato con un club y se recibe el pago del siguiente, se puede ganar mucho dinero.

Imaginad si lo hicierais todos los años. Seguramente

ganaríais más que un futbolista de alguno de los cuatro mejores clubes que llevara diez años jugando y cobrara setenta mil libras a la semana. Ahora pensad en los jugadores que han cambiado de club constantemente en su carrera y en el precio de sus traspasos, entre los que destacan Robbie Keane, Nicolas Anelka y Craig Bellamy. Cada vez que se van de un club se llevan una parte de su contrato y cobran una buena parte del fichaje, además de un generoso sueldo.

Esto también ocurre en las ligas inferiores, en las que los mánager suelen ser más prácticos con las finanzas. Mucha gente conoce la historia de uno que quería deshacerse del capitán. Le pidió que acudiera a su oficina y le preguntó a bocajarro cuánto le costaría despedirlo. El jugador respondió que veinticinco mil libras; el mánager sacó un cheque del cajón a nombre del capitán por esa cifra. La persona que me contó la historia me dijo que había preparado cheques de diez mil a cincuenta mil libras porque no estaba seguro de cuánto le pediría. Lo que sí sabía a ciencia cierta era que ese futbolista iba a abandonar el club ese mismo día.

En los niveles superiores, las primas son muy importantes. He perdido la cuenta de las terroríficas historias que he oído sobre equipos que han llegado a una final, se han colado en Europa e incluso han ascendido, y entonces los jugadores han caído en la cuenta de que no habían acordado las primas. Con todo, intentar que un equipo de treinta jugadores se ponga de acuerdo sobre las primas es una auténtica pesadilla; es una de las situaciones en las que no envidio a un capitán y sigo sin entender por qué los jugadores no pagan entre todos a un agente o abogado para que les redacte un documento.

He buscado un contrato de una de mis primeras temporadas en la Premier League para que os hagáis una idea de lo que se cobra en primas. En ese club se pagaban según puntos, en función del puesto final en el campeonato:

> DEL PRIMERO AL TERCERO: DOS MIL QUINIENTAS LIBRAS POR PUNTO
> DEL CUARTO AL SEXTO: MIL QUINIENTAS LIBRAS POR PUNTO
> DEL SÉPTIMO AL DUODÉCIMO: MIL LIBRAS POR PUNTO
> DEL DECIMOTERCERO AL VIGÉSIMO: NADA

También se nos concedía una prima por acabar en según qué puesto de la liga, que se repartía entre todos los jugadores. Algo que, a su vez, dependía de los partidos jugados. Cada puesto en la clasificación recibe un pago de la Premier League, que normalmente va engrosando una jugosa cifra de seis dígitos según se vaya ascendiendo. Si se añaden los millones que generan los derechos que pagan las televisiones por estar otro año en la Premier League, no resulta difícil entender por qué intentamos negociar una parte de toda esa ganancia. Nuestro bote solía ser de dos millones de libras, de los que me llevaba a casa entre cincuenta y setenta mil libras.

Las primas por competiciones de copa siempre eran más bajas, pues el club solía sacar a los reservas, sobre todo porque le preocupaba más la Premier League. Por ejemplo, por ganar la Carling Cup, el equipo que había jugado ese partido se llevaba un bote de veinticinco mil libras, mientras que el de la FA Cup era algo mejor y se repartían cien mil. En los mejores clubes esas cifras pueden ser por jugador.

En algunos de los equipos en los que he jugado, incluso teníamos primas según la asistencia de público: de doce a veinte mil espectadores suponían quinientas libras; por encima de veinte mil espectadores nos llevábamos mil libras. En realidad, nos pagaban porque sabían que nadie iría a los partidos de copa. La verdad es que todo es negociable. He recibido primas por jugar partidos consecutivos (un incentivo para no lesionarse), por marcar goles, por ganar cierto número de partidos, además de primas por no encajar goles y por ser convocado por la selección. Me han pagado buenas primas por cada diez partidos ganados y otras según las primas que recibiera.

Aun así, todo eso puede volverse en tu contra. Lo de cobrar primas está muy bien, pero si se cae en desgracia teniendo un contrato lleno de incentivos, quizá sea la peor decisión que se haya tomado en la vida. Muchos jugadores que conozco no han podido jugar una vez que han alcanzado un número determinado de partidos, porque, si jugaban uno más, el club tendría que pagar a su anterior propietario, o porque existe una cláusula por la que el jugador ha de recibir un aumento de sueldo o ampliarse su contrato.

Seth Johnson se vio en esa situación en Leeds, donde solo pudo jugar cincuenta y nueve partidos, porque si lo hacía en otro más habrían tenido que pagarse doscientas cincuenta mil libras al Derby County, su anterior club. Este tipo de cosas siguen sucediendo en la actualidad. No hay que tenerles ninguna lástima, los jugadores cobran un suculento salario. Pero esa no es la cuestión. Cuando se está en forma y se desea jugar, es muy frustrante no poder hacerlo porque el club tuvo a bien firmar una cláusula en el contrato. Es como tener una venda en los ojos mientras dos supermodelos se arrancan la ropa frente a ti.

Una vez en la que cierto club de la Premier League quiso deshacerse de mí, tuvo que pagar a mi anterior club un diez por ciento de lo que ganó en la venta, lo que suele ser la norma. El anterior equipo normalmente recibe pagos adicionales en el caso de que un jugador logre un rendimiento excepcional y juegue con la selección o más de cien partidos en su nuevo club. Si la venta se realizaba, mi anterior club tenía derecho a cientos de miles de libras y, al ir escasos de dinero, era un buen pellizco que seguro habría agradecido.

Digo «habría», porque el club en el que estaba se puso en contacto con mi anterior club y le expuso que, a menos que aceptaran cincuenta mil libras, se negarían a venderme, y entonces no ganarían nada. Mi antiguo club no tuvo alternativa. Aceptó las cincuenta mil libras, pero, antes de que lo compadezcáis, hubo repercusiones. Alguien en el club más modesto había tenido una conversación similar con su homólogo en un club aún más modesto. Durante las conversaciones se me comunicó que mi anterior club se resistía a ceder y que si podía intermediar con ellos.

Aquello fue decididamente improcedente, pero muy inteligente por parte del club en el que estaba. Si hubiera hecho esa llamada, habría perdido todo derecho a una indemnización, porque habría admitido que deseaba irme. En cuanto lo hubiera hecho, toda reclamación de lo que me correspondía del resto de mi contrato se habría declarado nula.

La Premier League se encuentra en la cima de esta cadena alimentaria: tiene su propio acuerdo con las televisiones, su propio consejo de administración e incluso sus propias reglas. El resto del fútbol británico se ve forzado a bailar al son que toca. Aunque no protesta nadie que saque tajada.

Aparte del dinero, una de las principales cuestiones que destaca en la Premier League, en especial en los clubes más importantes, es que la mayoría de los jugadores tienen la constitución de un peso semipesado. Son macizos, las entradas son más duras y las disputas mucho más difíciles de ganar (en una ocasión, Antonio Valencia me hizo una obstrucción y fue como si me hubiera arrollado un coche. Es lo que pensé mientras unos aficionados me ayudaban a salir al terreno de juego).

Aunque un jugador no sea demasiado rápido corriendo, seguro que se afanará en lo que se conoce como «zona de presión». Todo jugador se esfuerza al máximo, corre tan rápido como puede, hostiga al contrincante que lleva el balón e intenta robarlo en un radio de cinco metros. Después, el siguiente jugador hace lo mismo, hasta que se recupera la posesión. Cada equipo utiliza una versión diferente. El Barcelona lo lleva a cabo lo más lejos de su campo que puede de su portería, para tener el balón lo más cerca posible de la meta contraria. Sin embargo, el Stoke City pone en práctica esa presión en cuanto el equipo contrario entra en su campo con el balón.

En las ligas inferiores, normalmente se regatea a un jugador incluso en ese radio de cinco metros, pero, si se es un simple mortal, en la máxima categoría es mejor pasar el balón. Esto demuestra por qué Xavi, Messi, Iniesta y Ronaldo son tan buenos: sortear a medio equipo de jugadores de talla mundial, que utilizan esa táctica, no deja de ser asombroso.

El juego es más lento en las divisiones superiores que en las inferiores, pero algunas jugadas esporádicas tienen mayor intensidad y hay menor presión continua. Si se recibe el balón frente a los defensas, uno puede estar toda la tarde pasándoselo a ellos o a los extremos, y, de vez en cuando, enviarlo a un centrocampista o al central. En cuanto el balón se juega en la mitad del campo del equipo que defiende, entre los atacantes y la portería, es cuando se arma la de Dios es Cristo. Todo sucede a tanta velocidad que, incluso si se está en la posición correcta, el balón va demasiado rápido como para poder hacer nada. La celeridad con la que jugadores como Ronaldo conducen el balón es impresionante.

En la Premier League, el juego a un toque en el área es el mayor peligro para los defensas. No hay posibilidad de situarse en una posición en la que hacerle frente.

Por suerte, es muy difícil de hacer, porque ha de realizarse con mucha precisión y velocidad, una combinación que nunca ha sido fácil de lograr.

Fuera de los terrenos de juego de la Premier League aún quedan algunas cuestiones que deberían mejorarse. Por ejemplo, en los campos más anticuados los vestuarios no están a la altura. Curiosamente, los del equipo de casa, cuentan con todo tipo de lujos, a diferencia de los del visitante. Estos últimos han sufrido años de maltrato por parte de equipos que han pasado por ellos después de haberse llevado una paliza.

Muchos de ellos, como el de White Hart Lane, Old Trafford y Anfield, no han cambiado gran cosa en décadas, y he sido testigo de gran cantidad de actos vandálicos. En cuantos más equipos juegas, más posibilidades tienes de encontrarte a alguien que te cuente historias del tipo: «¿Ves ese hueco en el que faltan azulejos? Después de perder el año pasado, al portero se le fue la cabeza y empezó a dar golpes a la pared». También se ven los evidentes restos de masilla en la pared de los lavabos. No es que los empleados hayan intentado emular a Jackson Pollock, sino que es el lugar en el que solía haber un espejo. «Si, el jefe lo destrozó un día que perdimos en el último minuto.» Supongo que le confiere carácter, aunque no deja de ser vandalismo. Y no es que yo sea un santo. En Fratton Park hay un bollo enorme en el lateral de uno de los baños. A veces, todos nos acaloramos.

Nunca me ha preocupado especialmente dónde me cambiaba. Lo he hecho (y también calentado) en el autobús del equipo cuando llegábamos tarde al partido, y también en módulos prefabricados y edificios anexos. En una ocasión, tuve que desnudarme delante de los aficionados porque el techo de los vestuarios había cedido ante el agua que se había acumulado. Jamás me ha importado lo más mínimo.

Muchos de esos estadios tienen mejor aspecto en televisión que en la realidad. A menudo, unas exquisitas instalaciones corporativas esconden una desagradable verdad. Algunas partes de muchos de los estadios más antiguos, como el Elland Road del Leeds United, se caen literalmente a pedazos. Y los terrenos de juego que parecen fantásticos en televisión son muy diferentes en la realidad. La primera vez que jugué en St Jame's Park (en Newcastle, no en Exeter), me sorprendió muchísimo la inclinación que había en una de las esquinas. Lo mismo pasa en el City Ground del Nottingham Forest. No es que me preocupe. No me importa en absoluto. Lo cierto es que reconforta ver que no todo es perfecto siempre.

Aunque nada prepara para cuarenta, cincuenta o sesenta mil aficionados que se vuelven locos después de un gol. No hay muchos sitios en los que se pueda experimentar una oleada de energía positiva en masa. Es lo que me gusta del fútbol: durante una fracción de segundo, miles de personas se sienten absolutamente felices. Y si eres la persona responsable de su felicidad, tienes todo el derecho del mundo a retirarte del terreno de juego sintiéndote un palmo más alto. Mientras tecleo estas líneas, noto que se me eriza el vello de la nuca, porque sé lo que se siente.

En ocasiones, la adrenalina se apodera de uno. Después, dependiendo de qué tipo de persona se sea, se manifiesta en una mala entrada, un acoso a un contrario o en propasarse con el árbitro. A pesar de ser un excelente jugador, algunas de las entradas de Scholes dan miedo, y normalmente hace al menos una en cada temporada. Pero siempre se ha dicho lo de «Líbreme Dios de las aguas mansas».

Con todo, en ese nivel el juego se desarrolla a tanta velocidad que resulta difícil estar al tanto de todo lo que pasa. En esos momentos es cuando los árbitros agradecen un poco de ayuda. Durante un partido, un jugador y yo nos enzarzamos en una disputa que comenzó con protestas, después con un par de entradas demoledoras y con codos cuidadosamente colocados, seguido de un manifiesto afán de venganza, con pellizcos y tirones de pelo (en serio). La tercera vez que el árbitro nos amonestó, se limitó a decir: «Mirad, si no vais a dejar de hacerlo, al menos que no os vea». Una frase lapidaria donde las haya.

Sin embargo, en ocasiones, el árbitro recibe demasiada ayuda. Terry tiene tanta influencia en las decisiones en los partidos del Chelsea que me extraña que no le den un silbato también. En el terreno de juego se le permite todo. En un balón lanzado hacia el área me dio un codazo tremendo por el que tendrían que haberle expulsado, pero se situó cerca del árbitro, le puso una mano en el hombro y se libró del castigo. Más tarde me puse a su altura en una falta y cuando se lanzó le di una patada por detrás con tanta fuerza que se desplomó. Se lo llevaron fuera del campo para atenderle, pero estoy convencido de que no fue nada más que una estratagema para acaparar la atención del árbitro, al que se le había escapado aquella falta. Volvió a entrar en el terreno de juego y me gritó algo (no recuerdo qué), pero me limité a mirarlo y decirle: «Colega, como vuelvas a acercarte a mí, te llevarás otra». Al final solo hubo otra ocasión en la segunda parte en la que el balón cayó entre los dos y ninguno fuimos a por él con ímpetu. Supongo que podría decirse que, en el fondo, los dos estábamos cagados.

Para ser sincero, este tipo de cosas pasan a todas horas y en todos los niveles. Después de un partido, siempre busco a mi oponente para estrecharle la mano, no porque sea un caballero (ni siquiera insinuaría tal cosa), sino porque, si no la acepta, sé que está mosqueado y que la próxima vez que nos enfrentemos su comportamiento puede afectar el resultado del partido. Hasta la fecha, ningún jugador con el que haya tenido una agarrada se ha negado a estrecharme la mano.

El esfuerzo que se hace para ganar un partido en esos niveles es increíble. Me gusta tanto ganar a un equipo recién ascendido como a uno de los mejores. Es otra victoria en la Premier League y conseguirla requiere un gran trabajo. Por eso es tan difícil aceptar una derrota. A menudo, se dice que un equipo en forma no le teme a nadie. Ante una serie de partidos como, por ejemplo, Fulham en casa, Wigan fuera y Aston Villa en casa da la impresión de que se van a ganar nueve puntos incluso antes de que se haga el saque inicial. Pero si se contempla la misma secuencia de encuentros tras siete u ocho partidos sin ganar, parecen mucho más difíciles.

Cuando se pierde contra un equipo que sin duda acabará la temporada en los últimos puestos, es incluso más duro de aceptar, porque casi seguro que el siguiente encuentro será contra un equipo que esté en lo más alto de la clasificación. No es difícil que en un club de fútbol cunda el pánico. Tres derrotas consecutivas y, de repente, todo el mundo se siente presionado. Por eso creo que en el nivel superior, más que en ningún otro, las expectativas y los datos arruinan la diversión. Si se desciende de categoría, no solo sufre la reputación de uno, sino que, y esto es lo más importante, algunos amigos se quedan sin trabajo.

Mentiría si dijera que no me gusta verme en *Match of the Day*. Si he marcado algún gol es incluso mejor, porque disfruto de todo lo que me he perdido en ese momento: los aficionados enloquecidos, el mánager saliendo de la caseta con los dedos índices en las sienes mientras mira a la defensa, el resto de los jugadores abrazándose y la desesperación en la cara de los contrincantes (esto último me encanta). Sé que puede parecer extraño que diga que es necesario ver el partido en televisión para apreciar la celebración de los aficionados después de marcar un gol, pero normalmente se está rodeado de siete u ocho jugadores que te dan palmaditas y te bajan la cabeza —una muestra de cariño en el fútbol—, con lo que lo único que se ven son botas y césped. Para cuando los compañeros se alejan y se puede levantar la vista para disfrutar de un momento de gloria, los aficionados han pasado de vitorear al goleador a atormentar al equipo contrario.

Con todo, me he fijado en que gran parte de lo que se muestra en los momentos más destacados de la Premier League se ha manipulado para que encaje en un formato narrativo que necesita dos requisitos básicos: un héroe y un villano. Pueden ser cualquiera, un jugador, un mánager, el árbitro, uno de sus asistentes... Normalmente, los grandes equipos suelen tener héroes; los modestos, villanos. Eso es lo más fácil de vender. Una buena forma de descubrir este tipo de narraciones es ver el resumen de un partido en el que un equipo recién ascendido crea infinidad de oportunidades, no marca y acaba perdiendo dos cero contra el Chelsea. Los comentarios serán que Petr Čech ha hecho un excelente partido, que el delantero recién ascendido aún ha de mejorar mucho para jugar en ese nivel o que excelentes futbolistas como Drogba marcan la diferencia, siempre con referencias a «en este nivel».

Recuerdo que en un equipo recién ascendido en el que jugué perdimos después de hacer un mal partido. Habíamos tenido dos oportunidades: un remate de cabeza en una falta que paró el portero y una vaselina en un uno contra uno que acabó en la parte superior de la red. Las dos eran jugadas en las que había fuera de juego, por lo que se castigaron con falta. Sin embargo, en *Match of the Day*, se consideraron oportunidades perdidas de nuestro delantero. En la primera secuencia, se ve que el juez de línea levanta el banderín; en la segunda, se oye el silbato del árbitro antes de que nuestro jugador efectúe el disparo. Me acuerdo de que el portero incluso aplaudió a la defensa por haber provocado un fuera de juego. Sé que no es un detalle importante, pero me molesta muchísimo. Por el contrario, el gol de cabeza de un curtido delantero se mostró en televisión como ejemplo de la sangre fría necesaria, en, por supuesto, ese nivel.

Fuera del terreno de juego, el prestigio de ser un jugador de la Premier League es evidente allá donde se vaya; todo el mundo quiere que le asocien con uno. De hecho, siempre me ha parecido extraño que cuanto más alto se está en el fútbol y cuanto más dinero se gana, más cosas te dan gratis. Cuando empecé a jugar, solíamos tener una tarjeta dorada de McDonald's que nos permitía ir a cualquiera de sus establecimientos y tomar una comida gratis al día. En la actualidad nos inundan con bebidas para deportistas, chicles, Under Armour (la ropa ajustada que mejora el rendimiento y la recuperación) y productos de belleza. Cuando algún compañero tiene un hijo, el campo de entrenamiento se llena de canastillas y ropa de niño de Harrods. Los vendedores de coches hacen cola para ofrecérnoslos a precios ridículos, y sastres, empresas de telefonía, de seguridad e inmobiliarias se afanan por conseguir citas con los jugadores a través de la secretaría del club para ofrecerles sus servicios.

A menudo, si se hace promoción en la página web de la empresa, el coste es insignificante. Por ejemplo, tengo una tarifa fija de veinte libras al mes por el móvil que utilizo, a pesar de que llamo al extranjero, navego por Internet y envío mensajes de texto como si se fuera a acabar el mundo. Lo único que tengo que hacer es refrendar frases tipo: «La (empresa X) cuenta con un excepcional equipo de diligentes, entregados y agradables profesionales». Vomitivo, ¿verdad? Además de las ventas que genera utilizar el nombre de los futbolistas, las empresas de telefonía también ganan dinero proporcionándoles números de teléfono en los que se repite el que llevan en la camiseta.

Cuanto más famoso es un jugador, más obscena es la situación. Un amigo que jugaba en la selección inglesa me contó que una inmobiliaria que trabajaba en el proyecto Palm en Dubái le ofreció una villa a David Beckham a cambio de publicidad. Según mi amigo, aceptó, pero a condición de que se ofreciera otra a precio de coste, unas seiscientas mil libras, a todos los integrantes del equipo. En la actualidad están valoradas entre tres y siete millones de libras. Que yo sepa, Trevor Sinclair incluso vive en ella. Lugar adecuado, momento oportuno. Le deseo buena suerte.

Aun así, no me he vendido del todo. He rechazado grandes cantidades de dinero cuando he encontrado botas que eran realmente cómodas, a pesar de que la empresa no estuviera interesada en patrocinarme. Nike tiene copado el negocio, gracias a una impecable maniobra que casi mejor no verla. Todas las temporadas acude a los clubes con la furgoneta negra más bonita del mercado, fabricada a medida, con todas las tallas de las botas nuevas. La aparca junto al campo de entrenamiento de los juveniles y cuando acaban de entrenar se dedica a engullir los babeantes egos de esos influenciables jóvenes. En teoría los mantendrá enganchados durante el resto de sus carreras. Adidas lo hace al revés y se centra en los tres mejores jugadores de los seis primeros equipos en las ligas de toda Europa. Por desgracia para el fabricante alemán, Nike ya había acaparado a la mayoría.

Sin embargo, la fama también tiene una cara B. Hay una gran diferencia entre lo que quieren algunos jugadores y lo que se les ofrece gratis. Lo experimenté de primera mano en una reciente fiesta de Navidades. Habíamos reservado mesa en un local nocturno de Chelsea que, al parecer, era el sitio más moderno en el que dejarse ver. La verdad es que no estoy nada al día; a mí me basta con que la clientela sea agradable, la música decente y sirvan Coronas frías.

En la puerta había una cola tremenda y, a esas alturas del año, hacía un frío horrible. Uno de los jugadores conocía a un empleado. Fue a la entrada y preguntó por él, pero no estaba. Explicó la situación, y al principio los porteros parecieron hacerse cargo, pero siempre aparece algún idiota con ansias de poder. Hoy en día, todos los locales nocturnos de Londres parecen tener en nómina a una chica guapa a más no poder, con piernas que le llegan a los sobacos, cuya única misión es sujetar un portapapeles. Por mucho que lo intentamos, nos fue imposible convencerla.

Insistió en que debíamos comprometernos a un gasto mínimo. En cuanto mi amigo le dijo que había hecho la reserva a nombre del club, olió dinero. Empezó a decirnos que deberíamos haber llegado antes y que había tenido que ocupar la mesa. Podía asignarnos la siguiente que quedara libre, pero a cambio de un gasto mínimo de siete mil libras. Eso suponía unas trescientas libras por cabeza, algo que, sin querer parecer pretencioso, nos traía sin cuidado. Pero, por cuestión de principios, nos mantuvimos unidos y nos negamos a soltar ni un penique. No nos dejó entrar..., y fueron las peores Navidades de mi vida, pero me sentí orgulloso de mis compañeros.

Pasar un tiempo en las divisiones inferiores me enseñó mucho. Ante todo —y no quisiera que se entendiera como una falta de respeto—, me proporcionó la motivación necesaria para no regresar nunca a ellas, al menos como jugador. Aprendí una buena lección de dos resentidos futbolistas treintañeros que se quejaban de que nunca habían ganado dinero de verdad, al tiempo que se cebaban con cualquiera que soñara con algo mejor. Seguramente me han mimado demasiado en esta vida, pero al menos esos dos jugadores de mi primer club me curtieron y, hasta cierto punto, se aseguraron de que mantuviera los pies en la tierra. A veces me pregunto qué habrá sido de ellos. Aunque la mayoría de las veces me pregunto qué ha sido de mí.

CAPÍTULO 7

Los agentes

En los últimos diez años, los jugadores han empezado a ser tan valiosos que algunas agencias se han rebajado hasta límites insospechados para conseguir sus firmas. La disputa entre ellas por el traspaso de Wayne Rooney al Manchester United llegó a los tribunales.

La entrega de sobres en los niveles más altos va desapareciendo paulatinamente, aunque sigue presente. Hace poco estuve cenando con el presidente de un club y me dijo que su mánager correría cualquier riesgo por quinientas libras en efectivo, no porque necesitara el dinero, sino porque podía hacerlo. Mi amigo no tenía más remedio que hacer la vista gorda, pues el mánager había conseguido muchos éxitos para el club y se le tenía mucho respeto.

No negaré que en este mundo hay muchos tiburones ni que se hacen cosas bajo mano. Tampoco lo defenderé alegando que en todos los negocios pasa lo mismo, porque eso no hace que sea correcto. Pero, lejos de los titulares y de los mitos, hay gente muy profesional, íntegra y avispada con los que muchos jugadores, incluido yo, han ganado grandes cantidades de dinero a lo largo de los años.

No cabe duda de que los agentes tienen mala fama. Son un objetivo fácil para los medios de comunicación obsesionados con el fútbol, que parecen estar convencidos de que el público está ansioso por que le cuenten historias negativas de lo que hacen y lo que dejan de hacer. El problema es que los agentes son una parte del fútbol que los medios de comunicación no comprenden a la perfección y que, a su vez, sus informaciones y programas están destinados a un público que aún sabe menos del asunto.

El tipo de basura que emiten programas como *Dispatches* de Channel 4 y *Panorama* de la BBC solo reflejan los intereses de unas personas a las que seguramente no les apasiona el fútbol, que no han dado nunca una patada a un balón, que no tienen ni idea de cómo se hacen los traspasos y que antes de que les diera el trabajo el responsable del departamento no sabían qué equipos jugaban en la Premier League.

En lo que respecta al fútbol, el periodismo de investigación suele caer en modas pasajeras. Primero fue el escándalo de los sobornos en la FIFA, justo antes de que Inglaterra intentara conseguir los votos necesarios para acoger la final del Mundial 2018; después llegaron las denuncias sobre racismo previas a la Eurocopa 2012. Ambos temas merecen una investigación a fondo, pero el nivel de los reportajes era muy bajo y los habían realizado personas con escasa conexión con el mundo del fútbol. El programa *Dispatches* de Channel 4 sobre las drogas en el fútbol, en el que durante una hora se intentó llegar al fondo de un problema que apenas existe en nuestro deporte, alcanzó el punto más bajo.

Los documentales sobre agentes parecen estar de moda en todos los canales interesados por el fútbol. En todos esos «destapes» siempre se hace una entrevista a un agente. No dicen exactamente a qué se dedican, pero ciertamente lo son. Siempre los filman de forma que no pueda vérseles la cara, y a menudo se les distorsiona la voz (sé lo que se siente). Y conforme se les oye hablar uno cae en la cuenta de que esa persona lleva alejada del mundo del fútbol al menos diez años y que no tiene ni idea de cómo se hacen hoy en día los negocios en las altas esferas.

La única forma de conseguir información veraz sería leerle el pensamiento a algún agente verdadero que conozca bien el mundillo. Así que, en vez de desenterrar a alguien que estuvo en activo antes de que existiera la Premier League, le pedí a uno de los más respetados e influyentes, y que ha negociado algunas de las transacciones más importantes en el fútbol, que respondiera a las preguntas de mis seguidores en Twitter. He de mantener su nombre en el anonimato.

@Wdtarrant: ¿Cómo eligen los jugadores a sus agentes? ¿Los buscan al azar? ¿Se los recomiendan?

Agente: Todos mis clientes acudieron a mí porque alguien me había recomendado, pero un agente que trabaje por su cuenta o en una agencia importante no se extraña de ventas en frío que suelen empezar con una frase tipo «Te he encontrado un club». Los agentes novatos que están empezando quizá tengan suerte con un jugador que era amigo suyo y que ha ido ascendiendo o, más probablemente, si no trabaja para ninguna de las seis grandes agencias, abordará al azar a algún jugador después de los partidos de juveniles. Merodean los vestuarios, literalmente, y esperan a que salgan. Es burdo y no funciona con los profesionales más importantes, pero te sorprendería la cantidad de chavales que se dejan convencer por un par de botas. A raíz de ese tipo de negocios, los clubes han prohibido a los agentes que presencien los partidos de juveniles. Si un jugador tiene menos de dieciséis años, la ley no permite que tenga un agente. Entre los dieciséis y los dieciocho, pueden firmar por un agente con consentimiento de los padres.

La cuestión es que las agencias más grandes cuentan con muchos jugadores. Hay seis agencias principales, que representan a casi todos los futbolistas, les gusta decir a un posible cliente que representan a seiscientos jugadores. Casi dirigen una franquicia en la que ochenta agentes tienen acceso al mismo edificio. Así que, si pertenezco a una de esas superagencias y quiero impresionar a un potencial cliente, lo invito a mis amplias oficinas en Londres con fachada de cristal y un pelotón de agentes repartidos en veinte pisos y el jugador piensa: «Este tipo ha triunfado». Pero se equivoca. Solo forma parte de una franquicia.

@Horrox93: ¿Hasta qué punto es responsable un agente de un traspaso? ¿O solo intervienen los clubes involucrados?

Agente: La respuesta a la segunda pregunta es: a veces y cuando existe una relación previa entre ellos. Si uno de mis futbolistas está jugando bien, querrá ir a un equipo mejor, pero quizá su club no quiera venderlo. Si no está rindiendo al cien por cien, querrá deshacerse de él, pero quizás ese jugador prefiera agotar su contrato, sobre todo si sabe que no tendrá las mismas cláusulas en el siguiente club. Entonces es necesario aplicar medidas compensatorias. Esas situaciones requieren la intervención de un agente que defienda los intereses del club o del jugador, porque ninguno de los dos puede hacerlo todo solo.

A menudo, los clubes utilizan a su mejor agente para conseguir un objetivo concreto. Pongamos por ejemplo que un club necesita un lateral izquierdo y que Ashley Cole es el primero de su lista. El club informa al agente de cuánto quiere gastar en un traspaso, qué sueldo está dispuesto a pagar y por cuánto tiempo quiere contratarlo. Entonces el agente investiga en el mercado, se entera de si ese jugador está disponible y si le interesa firmar. Es lo que se conoce como «tantear».

Normalmente, la primera opción es demasiado cara o no desea abandonar su club, con lo que mi trabajo consiste en ir bajando en la lista. En ocasiones, un club ficha a su segunda opción, pero en la conferencia de prensa dirá que llevaba mucho tiempo detrás de ese jugador y que era su primera opción. Eso lo sabemos todos.

@Simonxthomas: ¿Es razonable o excesivo lo que ganan los agentes en los traspasos?

Agente: Un cinco por ciento es razonable, al menos eso es lo que dicta la FA. Normalmente, se calcula sobre la remuneración total del jugador, pero no es definitivo y las negociaciones se llevan a cabo de distintas formas. En muchas de ellas se cobra mucho más de un cinco por ciento. ¿Es excesivo lo que cobran las agencias más importantes? Seguramente, sí, pero no existe ninguna normativa que les impida pedir lo que quieran. Por ejemplo, si un club me dice que tiene diez millones de libras para fichar jugadores, ¿se refiere en total o solo en derechos de traspaso? Con las agencias pasa lo mismo. La FIFA quiere que la comisión de un agente sea un tres por ciento, pero no dice sobre qué cantidad ha de calcularse. ¿Del traspaso? ¿Del sueldo? ¿El tres por ciento de qué?

Una de las principales razones por las que la Premier League experimentó el primer *boom* de futbolistas extranjeros fue que los agentes, los mánager, los presidentes, etc., se dieron cuenta de que esos jugadores no conocían el mercado ni el valor que tenían en él. En la actualidad, la mayoría de los países europeos se ha espabilado, pero esa situación vuelve a repetirse con muchos de los futbolistas africanos que llegan a la Premier League.

Cuando llega el momento de venderlos, siempre que hayan tenido un buen rendimiento, la agencia trabajará para el club porque el pago será mayor. Si se traspasa a uno de esos jugadores africanos por veinte millones de libras, el agente puede llevarse hasta el veinte por ciento de la venta.

Hace poco llevé a la Championship a un jugador de las divisiones inferiores. Me había ocupado de él durante un par de años, por hacerle un favor a un amigo, pero lo habría hecho gratis, porque las comisiones para los agentes en esas ligas son irrisorias. Al final tuvo una temporada espectacular y lo pretendían dos tercios de los equipos de la Championship y uno o dos clubes de la Premier League. Decidimos que, como todavía es joven, no tenía sentido que se sentara en el banquillo de un equipo importante y, además, quería jugar. Nos decidimos por una oferta de la Championship en la que jugaría de titular y podría continuar sus estudios. Es un club que tiene fama de vender, así que, si da buen resultado, lo venderán en el momento en el que esté listo para dar el salto en calidad.

Pero la cuestión es que invertí tiempo y dinero en un jugador sin saber si obtendría beneficios. Él jamás habría tenido la oportunidad de ganar la cantidad de dinero que le están pagando de no haber tenido un agente, porque los clubes lo habrían visto venir de lejos. No tiene ni idea de los precios actuales ni qué sueldo cobrar. No sabe lo que pagan los clubes de la Championship, no está al tanto de los entresijos de un traspaso, no sabe que algunos clubes de la Championship pagan más que algunos de la Premier League ni qué primas existen, no habría sabido pedir un porcentaje por reventa o una prima por antigüedad, ni mucho menos cuánto. Todo eso se le escapa a un jugador. Cuando la gente me pregunta por qué no hacen las transacciones los jugadores, me cuesta contener la risa. No tienen ni idea de lo que pagan los clubes en cuestión de sueldos ni tienen contactos en ellos con los que orquestar un traspaso si no se sienten a gusto en el que están. Necesitan concentrarse en el juego, y nada más. No son expertos en finanzas ni en mercados. Los desplumarían.

Ahora que ese jugador está teniendo éxito, lo justo es que se recompense por su ayuda y conocimientos a quien lo colocó donde está. Hay que remunerar al club que vende por haberse arriesgado a pagar el anterior traspaso del jugador; este debe recibir un salario adecuado por haber hecho una buena temporada, y al agente hay que compensarle la inversión de tiempo, esfuerzo y recursos en ese jugador. Conseguí que pasara de las ligas inferiores a una de las superiores. Lo coloqué en un club y le fue bien. Le encontré un comprador y lo traspasaron. Han de recompensarme porque todo eso requiere un gran esfuerzo.

@FootballAway: ¿Es aficionado de un club en particular? ¿Ha tenido alguna vez la tentación de llevar (o apartar) a un jugador al club de su infancia?

Agente: La respuesta es fácil. Sí, soy aficionado de un club, pero jamás ha ejercido ninguna influencia en las decisiones sobre mis jugadores. Si se tratara de elegir entre enviar a uno de ellos al Manchester United, que podría ser mi club, o al Manchester City, elegiríamos al que quisiera ir el jugador, así como el mejor contrato. La verdad es que no creo que influya en ninguna agencia. Si un club me pide que le encuentre un lateral izquierdo que haya jugado en la Premier League, me esforzaré en dar con el mejor, según su presupuesto. Me daría igual que ese jugador fuera el mejor en el club del que soy aficionado.

@TristanCarlyle: ¿Sería diferente el fútbol si los agentes no intervinieran en los traspasos? ¿Qué traspasos importantes no se habrían llevado a cabo?

Agente: Es imposible contestar a la segunda parte de esa pregunta. El papel de un agente es sentar a las partes implicadas alrededor de una mesa. Reunir en una sala a dos clubes y a un jugador no es fácil sin un intermediario. Por mucho que quieran cerrar un trato, alguien ha de tomar la iniciativa y conseguir que se pongan de acuerdo.

En cuanto a los traspasos que no se habrían realizado, en los primeros tiempos habría sido muy difícil hacer la mayoría de los traspasos de extranjeros, porque sus agentes no conocían lo suficientemente bien el mercado del Reino Unido como para hacer negocios en él. Quizá creas que, al fin y al cabo, fútbol es fútbol, pero cuando se lleva a un jugador a otro país se deben tener en cuenta muchos aspectos. A menudo, la forma en que se paga a los jugadores es muy diferente. Quizás haya más dinero de las televisiones en una liga que en otra, a lo mejor el club tiene un vicepresidente que hace esas transacciones en vez de un director deportivo, tal vez haya que negociar los derechos de imagen... Esos matices requieren un experto en el mercado, y yo lo soy en el del Reino Unido. Los agentes suelen recurrir a sus homólogos en otros países para tramitar esos detalles.

Cuando la Premier League se llenó de extranjeros, sus agentes no tenían ni idea de qué sueldo pedir para sus jugadores ni lo que se les daría como comisión. Al principio eran muy vulnerables. De no haber habido agentes establecidos en el Reino Unido que les abrieran las puertas, a esos jugadores extranjeros les habría costado diez años más entrar en este país, al igual que a los mánager, ojeadores, científicos del deporte, nutricionistas y preparadores extranjeros y, casi con toda seguridad, a sus propietarios extranjeros. Cuando la Premier League se volvió global, gracias al enorme aumento de la audiencia televisiva en todo el mundo, empezó a ser una inversión mucho más interesante para los propietarios extranjeros. Algo que no habrían podido hacer sin los agentes que les abrieron las puertas. Pero, no te equivoques, lo hicimos por el dinero.

¿Dónde estaríamos? En los malos tiempos. Si en la actualidad se echa un vistazo a cualquier vestuario, se verá a varios jugadores ante los que uno se pregunta: «¿Cómo habrán podido encontrar el camino hasta el campo de entrenamiento?». Ahora imagina cómo explotaban los propietarios esas diferencias culturales hace veinte años, incluso diez. Aquello solo producía contrariedades, bajo rendimiento y aficionados poco contentos. La pregunta evidente es que, si los agentes son tan malos, ¿por qué los utilizan todos los mánager, jugadores y preparadores?

@Nikhalton: ¿Qué hace y cuánto le pagan cuando un jugador desea que se le renueve el contrato?

Agente: Todos los casos son diferentes. Por ejemplo, la renovación de contrato de un jugador de dieciocho años está restringida, porque no puede irse sin más si el club en el que está le ofrece más dinero. Prácticamente todos los clubes lo hacen, tanto si desean mantenerlos como si no, porque pueden recibir una indemnización dictada por un juez si se enteran de que otro club quiere ficharlo. Algo que se aplica a todo jugador menor de veinticuatro años, y además existen distintos tipos de indemnización por jugadores juveniles, extranjeros, etcétera.

Pero si a un jugador le quedan seis meses antes de convertirse en un Bosman, la negociación es diferente, porque cuando se tienen veinticuatro años seguramente se han jugado muchos partidos, se ha tenido un buen rendimiento y se esté cotizado en el mercado, como en el caso de Robin van Persie. Llega un momento en el que pagar una prima por la renovación de contrato es la mejor opción, pues el club se arriesga a perder al jugador sin cobrar nada, e incluso si decide venderlo solo cuenta con dos opciones y las ofertas serán «lo tomas o lo dejas». En esa situación, es muy frecuente que un agente se lleve una cuantiosa comisión, porque, visto desde una perspectiva más amplia, Van Persie marcará los goles que premiarán al Arsenal con treinta millones de libras en ingresos de la Premier League. También hay que tener en cuenta lo que costaría reemplazarlo y la sensación de bienestar que generará su firma en el club. El mensaje que envía a otros jugadores que ese club desee es: «Es un buen club, ¿para qué buscar otro?». Y eso es algo muy importante para los futbolistas que están decidiendo por qué club fichar.

Las comisiones que recibimos varían según las circunstancias de cada jugador y dependen de su valor. Tal como he dicho, si se trata de un chaval de dieciocho años, quizá no gane nada. Si es uno de los mejores, lleva una prima añadida.

@Davidhigman: ¿Qué siente ante las acusaciones de que los agentes están arruinando el fútbol?

Agente: Esas acusaciones se deben a un escaso conocimiento del negocio, a ciertos medios de comunicación mal informados y a la falta de comprensión general sobre cómo funciona realmente el fútbol. Es muy fácil culpar a un agente anónimo cuando algo sale mal. Los mánager y los jugadores han de mantener una relación laboral muy pública, aun cuando tengan problemas entre ellos, con lo que la mejor opción es culpar al agente.

La situación de Wayne Rooney en la temporada 2010-2011 es un ejemplo que viene al caso. Su agente se valió de la excelente situación económica del Manchester City para proporcionar a su cliente una buena negociación con el Manchester United. La práctica habitual es utilizar a un club para abrir las puertas de otro, y no hay nada malo en ello. En cuanto Rooney consiguió un contrato con el United, Fergie ya no pudo culparle como había hecho la semana anterior y se dedicó a crucificar en público al agente, lo que le permitió seguir manteniendo su relación laboral con el jugador. Pasa en todos los clubes. Lo que sucede es que el caso de Rooney acaparó la atención porque es uno de los jugadores más prestigiosos.

Yo no diría que los agentes están arruinando el fútbol. Los equipos consiguen jugadores; estos, sus sueldos; y los aficionados, un espectáculo excelente. Las negociaciones se llevan a cabo, pero las formas varían enormemente según la ética del agente.

Míralo desde otra perspectiva, la del producto que ofrecemos y las quejas más habituales de los aficionados. Normalmente dicen: «He pagado treinta libras por la entrada». Y sí, lo ha hecho, pero el que pone el dinero ahora es Sky, no tú. El fútbol sobreviviría aunque nadie fuera a los estadios a ver los partidos. Después suelen comentar: «¿Por qué gana ese jugador cincuenta mil libras a la semana?». Muy fácil, porque Sky ha comprado sus derechos por más de mil millones de libras. El paquete de derechos por tres años, con inicio en la temporada 2013-2014, ha aumentado en más de un setenta por ciento para las televisiones locales, hasta alcanzar la astronómica cifra actual de más de trescientos mil millones de libras. Incluso el equipo que acabe el último en la Premier League esa primera temporada ganará más de seiscientos millones de libras, la misma cantidad que recibió el Manchester City por ganar el título en la temporada 2011-2012. Si son cosas que no te gusta oír y quieres culpar a alguien, en vez de acusar al agente, acusa al director, al presidente, a Sky o a ti mismo. En la

Premier League, todo el mundo gana. Uno puede quedarse en casa y ver el partido en directo en la televisión o ir al pub y verlo con un decodificador griego. El dinero está ahí, el producto está ahí, todo el mundo sale ganando.

@Jaykelly83: ¿Por qué no utilizan más jugadores los servicios de la Asociación de Futbolistas Profesionales en la renovación de sus contratos en vez de los de un agente o, de no ser posible, de un abogado?

Agente: El gran problema de que la AFP represente a un jugador es que no puede enfrentarse a los clubes de forma beneficiosa para su cliente. Y, mientras eso no cambie, la representación por parte de la AFP, que, no lo olvidemos, es el sindicato, siempre incurrirá en un absoluto conflicto de intereses. La opinión generalizada en lo que respecta a la AFP es que en el terreno neutral, donde se ganan y se pierden las negociaciones, siempre tiende a beneficiar al club. En esas circunstancias, ¿quién va a querer que lo represente? Por eso casi ningún jugador veterano acude a la AFP para negociar sus contratos. Los agentes que se saltan las reglas y hablan con los clubes consiguen los mejores acuerdos para sus jugadores. Hay «tanteos» todos los días de la semana. El que no quiera admitirlo miente.

Los abogados intervienen en cuestiones muy específicas de los contratos, y los agentes dejan algunos puntos de los contratos, como los derechos de imagen, en manos de un especialista. A nadie le sorprende que muchos abogados intenten entrar en el mundo de las agencias, porque ganan mucho más dinero con el porcentaje de una negociación que si cobran por horas. Su problema es que lo que realmente cuenta es conocer el mercado y, de momento, muchos siguen sin conocerlo.

Por ejemplo, represento a un futbolista que jugó en

una liga inferior en el extranjero, en la que en algunos partidos hay una gran rivalidad, los ven miles de aficionados y son tan importantes como un derbi aquí. Ese jugador no era famoso en Inglaterra, pero me pidió que lo representara. Me gustó y, como sé lo que buscan los clubes y los mánager para el puesto en el que juega, decidí que merecía la pena correr el riesgo. Lo traje a Inglaterra y lo envié a un equipo modesto que da una oportunidad a futbolistas como él. Por supuesto, mi reputación contribuyó a cerrar el trato, pues no ofrezco basura. Tuvo una magnífica temporada, en la que destacó desde el primer día, y el año pasado lo vendieron a un equipo de una división superior. Cuando lo estaban vendiendo, recalqué que había jugado partidos importantes y que estaba acostumbrado a la presión y rivalidad que implican, y que cuando lo hiciera contra el Liverpool o el Manchester United tendría el coraje necesario para disputar esos encuentros.

Muchos abogados no podrían haber hecho lo mismo por él. No conocen a fondo el fútbol ni a los jugadores ni su situación personal. Sí, son profesionales, pero del ámbito jurídico.

@Markarthurs: Si un agente está enemistado con un club, ¿prohíbe a sus jugadores que fichen por él?

Agente: Buena pregunta. En mi caso no, pero yo no me enemisto con los clubes. La forma en que no se llega a hacer un trato con un club es importante. Si tres clubes quieren fichar al mismo jugador, dos de ellos no podrán hacerlo. Si la decisión final se basa en un motivo justificado, por muy decepcionados que estén esos dos clubes, tendrán que aceptarla, porque los negocios son así. En cuanto a otros agentes, la naturaleza humana suele influir en el proceso. El agente debe defender los intereses del jugador, pero las partes saben cuál es su papel; todas desean hacer el mejor negocio posible, aunque a veces una parte salga mejor parada que otra.

En un club me aproveché de un traspaso libre para llevar a su jugador estrella a otro más importante. Al futbolista le pareció fantástico ganar un sueldo tres o cuatro veces mayor. Evidentemente, el mánager se enfadó mucho. Además, el que, en la temporada siguiente, le arrebatara a su segundo mejor jugador en las mismas condiciones no mejoró la situación. La última conversación que tuve con ese mánager fue turbulenta, como poco, y aunque no dijo que la próxima vez que me viera me arrancaría la cabeza, seguramente lo pensó.

Doce meses más tarde, estaba en otro club y quería a uno de los jugadores que represento. Es la única reunión a la que he acudido en toda mi vida sin saber qué podía pasar. Pensé que si empezaba a gritarme se pondría en evidencia delante del jugador que tanto ansiaba. Durante las conversaciones me trató con toda cordialidad, me estrechó la mano y fue absolutamente encantador, pero no por no quedar mal delante del jugador, sino porque era puro negocio. Así son las cosas.

Cuando empecé a aprender el oficio, hace unos quince años, hice un negocio en el que me dio la impresión de que el mánager se había aprovechado de mí. Me lo tomé mal y se lo comenté. Cuando después de la reunión salimos de la sala, su personalidad cambió por completo. Me agarró del brazo y me dijo: «Tienes que verlo desde otra perspectiva. Solo son negocios, no te lo tomes como algo personal». En aquel momento, fue una lección muy valiosa. Los agentes, los mánager e incluso los clubes se enemistan en un momento dado, pero hay demasiado negocio en juego como para dejar que esa animadversión perdure.

@Rideitnow: ¿Es necesario ser un despreciable usurero o solo ayuda?

Agente: Hay dos respuestas para esa pregunta. La primera sería: «Vete a paseo, no seas envidioso y documéntate un poco sobre un negocio del que estoy seguro no sabes nada». La segunda sería: «Ayuda si eres buen negociador y entiendes las necesidades de los clubes, de los jugadores y del negocio». De nada sirve que tres partes estén satisfechas con un acuerdo si la cuarta no lo está, porque eso lo desbarata. Hay que negociar. Desde luego que existen carroñeros y buitres que se aprovechan de los jugadores, pero como en todas las profesiones. Un buen agente negocia y abandona la mesa cuando todas las partes están satisfechas con el acuerdo al que se ha llegado.

En mi opinión, esta pregunta se podría haber articulado de cien formas distintas, pero el que se haya formulado así indica que el público está mal informado y mal acostumbrado por unos medios de comunicación que ven las cosas desde fuera, por mucho que les guste pensar lo contrario.

Mi trabajo requiere habilidad. No es un arte, pero exige mucho, hay que estar conectado todo el tiempo. Saber negociar requiere astucia, decir algo fuera de lugar y a destiempo puede frustrar un acuerdo. Pero si dices lo correcto, notas que se incorporan y te prestan atención, y sabes cómo desarrollar tus ideas, tienes todas las de ganar. Es como el póquer, pero requiere mucha más pericia.

Hay gente que es realmente despiadada, pero como en todos los negocios. Sin embargo, en el nuestro seguimos atascados en la idea de que es el deporte del pueblo, de la clase trabajadora, lo que implica que nadie tiene derecho a ganar «cantidades indecentes de dinero». Pero el dinero está ahí, si no estuviera, no ganaríamos lo que ganamos.

Seguimos siendo aficionados, todos vitoreamos a Inglaterra en la Eurocopa 2012, pero tenemos que ver el fútbol de otra forma. La verdad es que no solo los hinchas tienen ideas preconcebidas en lo que respecta a los agentes. Una vez estuve en una reunión en la que el mánager me presentó al preparador, y este se negó a estrecharme la mano por ser agente. Seguramente no necesita uno porque no confía en ellos, pero os aseguro que si hubiera requerido mis servicios tendría un contrato mucho mejor que el que firmó.

Aparte de todo esto, si tienes los huevos suficientes para dirigir tu negocio, facilidad para mover el culo y lanzarte al ruedo, sácate la licencia de agente y prueba. Todo el mundo puede ser agente y, ahora que lo pienso, quizás ese sea el problema.

@T_nic: ¿Cómo se defienden los intereses de varios clientes a la vez? Sobre todo si aspiran al mismo puesto en el mismo club.

Agente: Obviamente, ningún agente es igual que otro, pero yo trato a todos los jugadores de la misma forma, como si fueran mi cliente más importante. Cuando un futbolista quiere ascender, lo ofrezco a todos los clubes que me parecen adecuados para él. Si me pide que hable con un club que sé que no le conviene, respeto su opinión, pero le explico por qué no me parece un buen cambio. En cualquier caso, el club comprador opta por la opción que más le conviene, aunque la decisión final siempre la toma el jugador.

Mis jugadores no suelen ocupar las mismas posiciones en el terreno de juego, así que, aunque contara con dos laterales izquierdos, tendrían características propias. Los clubes saben muy bien lo que quieren de un jugador, por lo que esos dos laterales se diferenciarían en edad, precio del traspaso, sueldo y demás. Además, hay que tener en cuenta otros factores, como el estilo de juego del equipo y si el jugador tendría que atacar y tener velocidad o permanecer atrás y defender.

Pongamos, por ejemplo, a los delanteros centros altos, o números nueve, como solíamos llamarlos. A pesar de jugar en la misma posición, todos tienen características distintas y son sorprendentemente fáciles de diferenciar cuando el club va al grano. En ocasiones, las tácticas de un equipo dictan la elección: si basta con que envíe el balón al área, no se necesita un jugador habilidoso con los pies, sino uno que remate con la cabeza. Otro delantero puede regatear mejor y otro crear más espacios.

Si tuviera como clientes a Patrice Evra y Ashley Cole, sus sueldos y edades fueran similares, y tácticamente fueran iguales, se los ofrecería a los dos al club comprador y dejaría que eligiera. Míralo de otra forma, si un club busca un lateral izquierdo y solo tengo a Patrice Evra, eso quiere decir que otro agente representa a Ashley Cole y que va a ofrecérselo a su cliente para que estudie la oferta, así que estaremos librando la misma batalla.

Aun así, conozco la mentalidad de los mánager. Sé si mis jugadores prefieren un abrazo o si rinden más después de una bronca monumental. A algunos jugadores les motivan los mánager agresivos, mientras que otros son inteligentes, conocen las tácticas y les gusta mantener conversaciones muy profundas con ellos porque quieren aportar ideas. Evidentemente, es un ejemplo muy trillado y no todo es tan sencillo, pero los jugadores se entregan más con los mánager con los que encajan. Algunos de los míos que desean cambiar de equipo me piden que los ofrezca solamente a clubes en los que el mánager no sea muy agresivo, o lo contrario.

@Smithy_NUFC: ¿Creen los agentes que deberían de ser más transparentes con sus finanzas o que deberían seguir manteniéndolas en secreto?

Agente: Sé que esta pregunta se refiere solamente a los negocios de los agentes, pero la cuestión de la transparencia engloba a todo el fútbol. Esto quizá sorprenda a unos cuantos, pero a los clubes no les gusta que se sepa mucho de sus finanzas, en especial en cuestión de traspasos.

La razón por la que no se informa sobre el coste de algunos traspasos es muy sencilla. En ocasiones, un club cree que ha pagado demasiado por un jugador (quizá se vio entre la espada y la pared al cumplirse la fecha tope o se debió a la insistencia del mánager). El problema al que se enfrenta es que a lo mejor no recupera ese dinero cuando quiera venderlo, incluso puede llegar a pagar diez millones y solo recibir dos si el traspaso no sale bien. En esos casos, no sorprende que las personas que hicieron la negociación prefieran mantener en secreto que salieron perdiendo. Muchas veces, el club que vende añade todos los ingresos adicionales que recibirá si el jugador tiene éxito en su nuevo club, asegura que recibió diez millones y entonces los seguidores piensan: «Estupendo, ha cobrado lo que debía». Sin embargo, el club comprador solo revela el pago por adelantado, dice que pagó seis millones y los seguidores piensan: «Estupendo, ha pagado lo que debía».

A pesar de todo, algunos traspasos no cuajan. Puede pasar por muchas razones, cambio de mánager o de tácticas, jugadores que no se adaptan o que, simplemente, no están en forma, pero el club ha de intentar acertar en las decisiones que toma.

En ocasiones sucede lo contrario, cuando un club de las ligas inferiores necesita dinero y vende barato a su mejor jugador. Evidentemente, no desea que los aficionados o los medios de comunicación se enteren de que los propietarios no han hecho un buen negocio. Mantener en secreto esas transacciones es una forma de proteger a las personas que las han hecho, que conservan sus puestos de trabajo y que logran que su reputación no sufra un menoscabo.

En lo que respecta a los agentes, el trabajo que realizamos no pertenece al sector público. Es un asunto privado, y a mí no me importa lo que ganen los demás, así que no veo por qué ha de hacerse público cuánto cobro, al igual que no se informa de lo que cobra un gestor. ¿Cuánto cobras? ¿Qué primas recibes? Solo te incumbe a ti, ¿no? Los clubes no quieren que la gente se entere de las transacciones que realizan. Recuerda que muchos no cotizan en bolsa, son empresas privadas. Los jugadores no quieren que sepas lo que ganan, ¿por qué deberían hacerlo los agentes?

Un conocido analista comentó en la columna que escribe en un periódico que los jugadores no deberían tener agentes, porque si sus sueldos fueran públicos no los necesitarían. Este exjugador tuvo el privilegio de jugar en un solo club toda su carrera y contaba con un gestor que le llevaba las cuentas. De lo que se deducen dos cosas. Primero, ¿podría ese gestor negociar un traspaso si el jugador lo necesitara? No basta con telefonear a un club y ofrecer un futbolista. En este mundillo, si no eres conocido, no te devolverán la llamada. Y, en segundo lugar, ¿imaginas lo que pasaría si se hicieran públicos todos los sueldos? ¿Te imaginas sentado en el vestuario junto a un jugador del que no tienes muy buena opinión y que crees que no juega tan bien como tú sabiendo que cobra el doble que tú? Todo el mundo es consciente de que los jugadores hablan de sus sueldos, a pesar de que las reglas de los clubes lo prohíban, pero ¿cuántos dicen la verdad a sus compañeros? Si se supiera a cuánto ascienden esos sueldos, ¿imaginas la discordia que reinaría en los vestuarios?

@Case_paul: ¿Cree que, en los próximos diez años, cambiará el papel que desempeñan los agentes?

Agente: No creo que cambie en absoluto, pero desde el punto de vista administrativo tanto la FA como la FIFA y la UEFA tienen su propia opinión al respecto. La FIFA pretendía liberalizar el trabajo de los agentes e introducir intermediarios sin licencia, lo que en teoría significa que cualquiera podría representar a un futbolista. La responsabilidad de saber si es digno de confianza recaería en el jugador y el club. La intención que subyace en esa propuesta es liberalizar un negocio que es difícil de controlar. Por ejemplo, en Sudamérica es muy habitual la propiedad de terceros, mientras que en Europa está prohibida. La UEFA no quiere permitir la propiedad de terceros porque es un campo minado, tal como demostró el caso de Carlos Tévez hace unas temporadas. Puso de manifiesto la necesidad de crear nuevas leyes y acabó en litigios entre los clubes.

La FIFA cree que un alto porcentaje de negocios lo realizan agentes sin licencia. Estos son un problema y, a pesar de que los cambios en las normas de los dos últimos años han mejorado la situación en el Reino Unido, es una cuestión que aún no se ha resuelto. El que un agente carezca de licencia le permite incumplir las normas. Lo único que necesita es encontrar un agente con licencia que firme el contrato. En tiempos era algo habitual, pero las nuevas normas dificultan cada vez más ese tipo de negocios, con multas y penalizaciones a los clubes y a los agentes que cierran tratos con agentes sin licencia. La FA funciona muy bien en nuestro país. Nuestro mercado seguramente está mejor regulado que muchos otros, aunque seguimos necesitando mejoras, pues hay muchas formas de saltarse las reglas. Los exámenes en este país son difíciles y están muy controlados, y quizás esa sea la razón por la que muchos operadores que viven en el Reino Unido acuden a los famosos viveros del fútbol de Sierra Leona o Barbados para conseguir una licencia y después inscribirse como agente extranjero, lo que les permite operar en este país.

Los agentes sin licencia son legión, y la razón por la que muchos de ellos siguen siéndolo es porque les resulta más fácil eludir la normativa. Además, si se suspende el examen dos veces, uno no puede presentarse hasta pasados dos años. Los exámenes se realizan cada seis meses, así que, en teoría, si se suspende dos veces pero se quiere crear una agencia legalmente, quizás haya que esperar tres años para ponerla en marcha, y en ese tiempo los jugadores tal vez hayan encontrado otras agencias.

@Stuartgreen747: ¿Cómo es posible representar a las dos partes en un traspaso? ¿No existe conflicto de intereses?

Agente: Las normas han cambiado un par de veces en la última década. Hacienda se planteó si era correcto que los jugadores no paguen impuestos si, en realidad, los agentes representan continuamente a los clubes. La verdad es que representan a los jugadores. La normativa actual permite una doble representación que refleje fielmente lo que se lleva a cabo en una negociación. Pongamos por caso que un club quiere que haga una doble representación con uno de mis jugadores. Si no lo ha hecho de antemano por escrito, el jugador debe proporcionar una autorización al agente que le permita ofrecer sus servicios a ese club. Una vez entregada, el futbolista, el club y el agente firman y formalizan un formulario llamado AGPC para la FA. Cuando esta acusa recibo, el agente está autorizado a firmar un contrato con el club y a ofrecerle sus servicios. Solo se cierra un trato cuando las dos partes están conformes y cuando el agente, que proporciona sus servicios al club al tiempo que defiende los intereses del jugador, negocia un acuerdo satisfactorio para ambas. Hacienda admite que el agente está proporcionando un servicio legítimo a ambas partes, a pesar de que el club pague al agente. Al jugador solo se le gravan los servicios que se le han prestado.

Esta es mi opinión como agente legítimo y honrado: si el agente se preocupa por defender los intereses del jugador y actúa como un profesional, no se produce un conflicto de intereses.

@Bluemorbo: ¿Cuál es la petición más difícil de cumplir que le ha formulado un jugador o un club?

Agente: Cuando empecé y estaba aprendiendo, un jugador veterano me pidió dos butacas en primera fila para un concierto de Madonna cuyas entradas se habían agotado hacía dos meses. Por supuesto, la petición incluía poder asistir a la fiesta posterior y pases de acceso entre bastidores. Compré las entradas al mayor revendedor del país, me costaron una fortuna y, además, invertí un tiempo y esfuerzo increíbles en conseguirlas. Al final, el jugador tuvo que estar presente en un partido que habían cambiado de fecha y ni siquiera fue al concierto. Le dio las entradas a un amigo; ni se le pasó por la cabeza devolvérmelas. Aprendí una buena lección. Jamás he vuelto a hacer una cosa así ni lo haré nunca más.

@TheTallyVic: ¿Hasta qué punto se implican los agentes en la inversión del dinero de los jugadores?

Agente: Si se es un asesor financiero independiente, uno se implica mucho, principalmente invirtiendo dinero en planes de ahorro fiscal. Algo que empezó a hacerse cuando los agentes que querían favorecer a sus mejores clientes, pero, como no sabían nada de inversiones, los pusieron en contacto con asesores a cambio de una comisión. Como era de esperar, los asesores se volvieron codiciosos, se deshicieron de los agentes y no solo se ocuparon de sus inversiones, sino también de sus contratos. A pesar de todo, tal como he mencionado antes, en esos tiempos los asesores no tenían ni idea de cómo se hacían las negociaciones en el fútbol y muchos de ellos siguen sin saberlo. Sus clientes perdieron mucho dinero en acuerdos que no salieron bien, y en la actualidad han de pagar importantes cuotas tributarias a Hacienda por los planes de ahorro fiscal que les recomendaron.

Nunca he recomendado a mis jugadores dónde invertir, porque no soy un experto y me dolería que esas inversiones no salieran bien. En ocasiones me comentan las inversiones que quieren hacer y siempre les digo: «Tiene buena pinta, pero la decisión has de tomarla tú» o «Ni se te ocurra porque...». Pero el jugador ha de hacer lo que le dicte la conciencia.

A menudo, los futbolistas invierten en propiedades o vino, porque comportan pocos riesgos dadas las cantidades que aventuran y su poder adquisitivo, aunque también conozco a jugadores que lo han perdido todo y a algunos que, a pesar de no haber seguido mis consejos de no invertir en algún negocio, les ha ido muy bien. Imaginad el cargo de conciencia que supone ser responsable de la ruina de una persona.

Futbolista Secreto: ¿Qué quiere decir «secuestro de negociaciones»? ¿Existen?

Agente: Sí que existen, mucho más de lo que se imagina la gente. Suceden cuando otro agente intenta entrar en una negociación. Llama a los clubes y alega falsamente que representa a jugadores. Si los clubes muestran interés, e incluso en caso contrario, telefonea a los futbolistas para saber si tiene alguna posibilidad de entrar en una negociación. Es una táctica que suelen utilizar los que acaban de llegar al mundo de las agencias, los que no tienen muchos clientes y los de dudosa moral. Si el agente del jugador trabaja como es debido, habrá hecho esas llamadas previamente, con lo que las del secuestrador no ofrecerán nada mejor y además infringirá las normas y la reglamentación de la FA. Mantengo una excelente relación laboral con mis clientes, por lo que es un problema que no me atañe. Normalmente, mis jugadores, o incluso los clubes, me avisan si algún agente los ha telefoneado para intentar participar en alguna negociación.

En este mundillo, todo depende de las relaciones que se tengan. Si un agente mantiene una estrecha relación con un club con el que haya realizado otros negocios, puede representar al club a cambio de un anticipo sobre los honorarios o representar al mánager. No es nada extraño que cuando se intenta llegar a un acuerdo para un jugador intervenga un agente que represente al club comprador. Eso no se considera secuestro, es legítimo en este negocio. Se denomina secuestro a que un agente asegure representar a un jugador sin ser cierto e intente «colarse en la fiesta sin que lo hayan invitado».

Futbolista Secreto: ¿Qué sucede cuando un agente y un jugador se enemistan?

Agente: Los jugadores tienen un contrato con los agentes de hasta dos años. La mayoría de los contratos de las agencias no permiten que los jugadores los rescindan antes, lo que en parte protege al agente, y con toda la razón, pues este ha cuidado de un talento y ha defendido sus intereses. Resulta muy fácil convencer a los jugadores para que firmen con otro agente y, a pesar de ser ilegal, muchos agentes carentes de escrúpulos utilizan «incentivos» para conseguir una firma.

Siempre he pensado que, si se trata bien a los clientes, se mantiene una actitud abierta y se es honrado y competente, no cambian de agente. Es la razón por la que prácticamente todos los míos han utilizado mis servicios, aunque siempre hay alguna excepción. Algunos jugadores son más propicios a dejarse influenciar y se llegan a conocer personalidades y egos muy diferentes, con lo que las desavenencias son inevitables.

Estas se dirimen en la FA mediante lo que se conocen como los tribunales de la regla K. Te sorprendería saber cuántos litigios se producen en el negocio del fútbol y cuántos bufetes de abogados se ocupan de ellos. En esos pleitos se tienen en cuenta las normas y la reglamentación de la FA, y los contratos en vigor entre las partes antes de que el tribunal pronuncie su veredicto. La mayoría de tales casos no sale a la luz porque se resuelven en privado y no en los juzgados.

CAPÍTULO 8

EL DINERO

Puede que hablar de lo que se gana sea una vulgaridad, sobre todo si nueve de cada diez veces tus interlocutores son personas que solo verán ese dinero en sueños. Pero cuando daba patadas a una pelota deshinchada con unas Nike heredadas siempre me preguntaba cuánto ganaban los jugadores y, conforme van sucediéndose las temporadas, da la impresión de que eso es lo que más importa a los aficionados. Así pues, hablemos de dinero.

Decid la verdad, ¿cuántos de vosotros hacéis reproches a un jugador en el pub o sacáis a relucir el dinero cuando vais a ver un partido? Imagino que la mayoría. «¡Cobra demasiado!», «¡No merece lo que gana!» Casi nunca se oye decir que los dueños están locos por pagarles esos sueldos. En vez de ello, la mayoría de la rabia se canaliza hacia el jugador por tener la cara de aceptarlo. Es algo que no entiendo, porque sea cual sea la profesión y la condición social, ¿cuánta gente le dice a su jefe: «Me paga demasiado»? No creo que muchos de nosotros rechazáramos la oportunidad de dejar un puesto de trabajo para realizar la misma labor si ello implicaba un aumento de sueldo y un mejor nivel de vida para nuestras familias. Por eso intento no sentirme culpable —aunque a veces lo hago— ni pensar que soy avaricioso. Lo que no quiere decir que no entienda el razonamiento «¿cuánto es suficiente?» cuando la gente critica que un jugador que gana miles de libras a la semana pida diez, veinte o treinta mil más. Aunque, que yo sepa, en este país sigue siendo ilegal que un jugador le ponga una pistola en la cabeza a un directivo. Una pena.

Lo que intento decir es que los clubes, tanto como los jugadores, fijan los sueldos. Al fin y al cabo, un futbolista puede pedir todos los ceros que quiera en su sueldo, pero solo conseguirá ese dinero si hay un propietario que esté dispuesto a pagarlos. Para que me entendáis, cuando se plantea mi traspaso y es necesario negociar mi contrato, intento que no intervengan los sentimientos y me concentro en este sencillo razonamiento: un grupo de ejecutivos ha tomado la decisión de que su club puede ofrecerme una cantidad X de dinero por una serie Y de años. Si el negocio sale mal, es porque esas personas se equivocaron a la hora de hacer las cuentas o no interpretaron bien el negocio. Por supuesto, los jugadores pueden no estar a la altura de las expectativas, pero ¿puede un mal fichaje arruinar a un club de fútbol?

Antes de que me acuséis de mostrar a los jugadores como los buenos de la película, dejad que os cuente algunas cosas. Entre vosotros, el resto del mundo y yo, algunos futbolistas cambian de club todos los años para cobrar las liquidaciones de los contratos y una buena parte del fichaje. Algunos jugadores solo ven el fútbol en términos económicos, igual que mucha gente en otras profesiones. Juegan porque es un trabajo bien pagado. He perdido la cuenta de la cantidad de veces que he oído: «Si me pagaran lo mismo haciendo otra cosa, no jugaría un minuto más».

Todos los trabajos tienen sus incentivos, así que ¿por qué no disfrutar de los de jugar al fútbol por millones de libras? Como dice la canción, me gustan los coches nuevos, el caviar y los ensueños de cuatro estrellas, pero en lo que respecta a comprar un equipo de fútbol prefiero dejarlo en manos de los multimillonarios que gastan cantidades de ocho cifras en jugadores. ¿Y a quién le importa de dónde proceda el dinero? A los futbolistas no, ni a muchos aficionados, al menos hasta que se tuercen las cosas.

Así pues, ¿qué quieren realmente los aficionados? ¿Jugadores que rindan el cien por cien? Esa es la respuesta fácil. Pero ¿qué tal todos los trofeos, los mejores jugadores y el mejor entrenador posible? Y ni siquiera eso basta para ganar, si los dioses del fútbol hicieran descender o propiciaran los problemas económicos en el club rival, sería incluso mejor.

Entonces, ¿quién es codicioso? ¿Yo? Posiblemente. ¿Los dueños? En algunas ocasiones, sin duda. ¿Vosotros? Bueno, no diría que codiciosos, simplemente demasiado ambiciosos, no hay nada malo en ello. Pero la próxima vez que tecleéis el número personal para comprar tres entradas para ver un partido, preguntaos qué os hace felices realmente. Porque los que queráis los mejores futbolistas, que permitan a vuestro equipo competir y ganar trofeos, sabréis que alguien tiene que pagarlo y también entenderéis que, si todo acaba en llanto, no es necesariamente a los jugadores a los que hay que poner en la picota. La mayoría de las veces representamos nuestro papel en los planes de otra persona. Los que no entendáis ese argumento sacad la tarjeta del cajero y llevad a los niños al parque. En cualquier caso, vosotros mandáis.

Quizá nuestros sueldos sean desproporcionados comparados con los del ciudadano de a pie, pero ¿por qué no deberían serlo? Cientos de miles de personas están encantadas de pagar por vernos todas las semanas, los niños que juegan en los parques quieren emularnos vistiendo camisetas que llevan nuestros nombres en la espalda y los patrocinadores y fabricantes de material deportivo están como locos por llevarnos al huerto, porque eso vende (a menudo, los padres y las madres me preguntan de qué marca son mis botas porque sus hijos les han pedido unas exactamente iguales para Navidades o su cumpleaños).

No entiendo a la gente que repite una y otra vez el tópico de que el dinero ha arruinado el fútbol. Ningún club ha gastado tanto como el Manchester City y, sin embargo, la forma en que en la temporada 2011-2012 consiguió su primer título en cuarenta y cuatro años, a un minuto del final, cuando su más acérrimo rival pensaba que el encuentro estaba decidido, sin duda procuró el momento más intenso en la temporada más apasionante de la Premier League desde su creación en 1992. De hecho, incluso supera al triunfo del Arsenal en Anfield en 1989.

Me gustan los partidos del Manchester City contra el Manchester United. Me encanta ver derbis en los que no solo se defienda el orgullo local. Me apetece ver en acción a los mejores jugadores de este país. Me dolió que Ronaldo fichara por el Real Madrid (aunque he jugado contra él y se tira a la piscina, se lo he dicho varias veces) porque me reconforta pensar que atraemos a los mejores jugadores a estas tierras y los conservamos mientras están en su mejor momento.

Coincido con mis compañeros en que gran parte del resentimiento de los aficionados hacia los jugadores es la envidia, suscitada por dos hechos. En primer lugar, un club de fútbol no es nada sin sus aficionados, en general cuantos más tiene, mayor es el club. Los propietarios van y vienen, pero hay infinidad de familias ligadas a su club histórica y geográficamente. Puede que los aficionados no posean el club, pero en realidad les pertenece, forma parte de la comunidad. Lo que implica que, si un jugador no rinde, los aficionados se lo toman como algo personal, y os aseguro que lo primero que le echan en cara es el precio de su traspaso y de su sueldo.

En una ocasión, un buen amigo mío, presidente de un club importante del norte, se ofendió cuando lo presenté como dueño de ese club. Me dijo: «No soy el propietario, sino su guardián. —Después amplió su respuesta—. El club pertenece a los habitantes de la ciudad. Yo cuido de él lo mejor que puedo y espero entregárselo al siguiente guardián en mejor estado que cuando me lo confiaron». Entiendo su razonamiento a la perfección.

En segundo lugar, se nos sigue viendo como personas con escaso nivel cultural, y en este país se desprecia a la gente si le va bien en la vida. No nos esforzamos en el colegio, no somos grandes conversadores, no vocalizamos bien y, sin duda alguna, no vamos a encontrar una cura para el cáncer. Al parecer, nuestro talento no cuenta porque se cree que nacimos con él, lo que no deja de ser una estupidez. Da la impresión de que se acepta que las personas que estudiaron en colegios privados y pertenecen a familias de sangre azul ocupen puestos de trabajo altamente remunerados porque siempre ha sido así. Por el tipo de personas que trabajan en él y lo siguen, el fútbol siempre se ha considerado, acertada o equivocadamente, un deporte de la clase trabajadora, y a algunos aficionados les cuesta aceptar que miembros de su clase asciendan a otra. En un país en el que se prefiere que la gente se hunda a que salga adelante, no resulta fácil de asimilar y provoca aislamiento e infravaloración. A lo mejor creéis que todo esto son tonterías, pero es lo que siento.

Vivimos en un mundo nuevo y espléndido en el que no existe el concepto de cobrar demasiado. Solo hay trabajos que pagan un sueldo. Si se cobra por debajo de lo habitual, te encuentran enseguida.

¿Por qué se pagan semejantes sueldos y traspasos? Cuando un mánager se reúne con sus ojeadores y preparadores físicos, trabajan con lo que se conoce, nada sugerentemente, como «la lista». Todos los jugadores están en la de algún club, es una simple cuestión de a qué altura se está.

Pongamos que un mánager está buscando un delantero en el mercado de fichajes de verano. Dependiendo de lo práctico que sea (a algunos les gusta hacerlo todo, incluido tratar con los agentes, por los motivos que estoy seguro que podéis imaginar), le dará el nombre del jugador que está en el puesto número uno de esa lista al director deportivo o al presidente. A partir de entonces, uno u otro se encargarán de hablar con el agente y el jugador para ver si está interesado, antes de hacer una propuesta oficial al club (algo completamente ilegal, pero es lo que hacen casi todos los clubes). Si la respuesta es que es demasiado caro o que no desea abandonar el equipo en el que juega, el mánager y sus colegas van bajando en la lista hasta que encuentran un jugador disponible que se ajuste a su presupuesto. No es nada raro que se llegue a la cuarta o quinta posición.

Así es como se hace en todos los clubes. Es rudimentario, lo sé, pero funciona. También explica hasta cierto punto por qué algunos contratos se realizan como por arte de magia en el último momento. A menudo, un club mantiene relaciones con un futbolista durante todo el verano, pero a última hora ficha a otro completamente distinto. Lo que suele suceder es que el número uno de la lista ha estado tanteando a varios clubes antes de fichar por uno de ellos. Nuestro mánager, desesperado por encontrar un delantero, va bajando en la lista hasta dar con un jugador disponible que se ajuste a sus necesidades. Pensad en todas las ruedas de prensa en las que un jugador dice: «Estaba a punto de irme de vacaciones y, de repente, he recibido una llamada de mi agente». Ahora ya sabéis por qué, era el décimo nombre en la lista.

Cuando era joven y anhelaba que se me prestara atención, me encantaba estar en la lista de algún club, porque era como un reconocimiento de que lo estaba haciendo bien. Por supuesto, conforme te vas haciendo mayor y eres más conocido, apareces en más listas.

Así es como funciona, más o menos. Diez clubes de la Premier League buscan un delantero durante el verano. La mitad de ellos anda detrás de uno que sea alto; la otra mitad prefiere uno curtido, en vez de tener que perfeccionarlo durante unos años para, posiblemente, venderlo en un caro traspaso. Esos clubes quizá se inclinen más por ofrecer sustanciosos sueldos que costosos traspasos, lo que les fuerza a buscar jugadores sin contrato.

Si se tiene mucha suerte, se está en esa lista. Si se tiene muchísima suerte y se cuenta con una conjunción de planetas perfecta, hasta se puede ser el primero de la lista. Pero en el fútbol nada es sencillo. He acabado temporadas en las que he jugado muy bien y en las que, sin embargo, no he rentabilizado ese esfuerzo con un traspaso porque me quedaban dos años de contrato y al club en el que jugaba no le interesaba venderme. Si hubiera estado libre, seguramente habría duplicado mi sueldo. Un antiguo compañero tuvo más suerte y se aseguró el provenir de por vida por estar en la situación propicia.

Hay otros factores que influyen. Por ejemplo, muchos clubes intentan utilizar solo un agente y, por lo tanto, realizan una desproporcionada cantidad de negociaciones con los jugadores que representa o con aquellos a los que tiene acceso. En este último caso, si no representa al jugador, tendrá que ponerse en contacto con el agente e intentar llegar a un acuerdo ofreciéndole el negocio a cambio de una comisión. En resumidas cuentas, si un club ofrece un dineral a la semana, es mejor aceptarlo, porque hay cien jugadores esperando hacerlo.

Todos deseamos conseguir cuanto más podamos de nuestros jefes, obtener lo mejor para nosotros, sea cual sea el trabajo que tengamos y dónde vivamos. No quiero que mis hijos crezcan en una vivienda de protección oficial como hice yo, no porque haya que avergonzarse de ello, sino porque no me gusta la idea de que su éxito en la vida se reduzca ser capaz de pagar la hipoteca a duras penas, mantener un trabajo en la fábrica local e ir de vacaciones una semana a España cada tres años. Hay gente que es feliz así y me parece muy bien, pero yo no lo soy ni lo quiero para mis hijos.

Así que si mi jefe me ofrece un aumento de sueldo, lo acepto. La motivación no es lo bien que pueda vivir o la cantidad de objetos inútiles que pueda acumular, sino el tipo de oportunidades que podré brindar a mis hijos, y estos a los suyos. Por lo que, si gano cien mil libras a la semana y mi club me ofrece ciento diez mil, las aceptaré y sé que vosotros también lo haríais.

Los jugadores no tienen ninguna obligación moral con las finanzas de un club. Si este atraviesa una mala racha o, aún peor, quiebra, es una pena, pero nosotros no somos los responsables. Por suerte, en la Premier League hay mucho dinero. Para demostrarlo solo hay que fijarse en los traspasos «arriesgados» que se realizan. No hace mucho, el pago por un jugador podría ser de uno o dos millones de libras, pero en la actualidad es más probable que sean de cinco a diez. De hecho, los clubes más importantes pueden permitirse grandes pérdidas si algunos jugadores no rinden: Robbie Keane (costó 18 millones al Chelsea), Andréi Shevchenko (30 millones al Chelsea), Emmanuel Adebayor y Roque Santa Cruz (24 y 19 millones respectivamente al Manchester City). Todos esos clubes se resintieron después de esos traspasos. ¿Y qué han conseguido? El Manchester City probó un sinfín de delanteros centro antes de acertar con Agüero. ¿Os acordáis de Jô y Caicedo, que costaron diecisiete y siete millones de libras respectivamente? Ni siquiera sé dónde están ahora.

A pesar de todo, las cifras que maneja el City no las supera nadie en el mundo. Hace unos años estuve hablando con uno de sus veteranos y le comenté que estaba disponible por una cantidad de dinero muy razonable. Se echó a reír, imagino que por pena. Tras un par de copas de champán, le hice una pregunta que en ese momento me pareció un tanto atrevida: «No vais a fichar a Kaká por cien millones de libras y pagarle quinientas mil a la semana, ¿verdad? Arruinaréis al club». Respondió con absoluta rotundidad: «Deja que te lo explique así. Los propietarios ganan unos cien millones de libras diarios solo con el petróleo».

Esa gente está entre el 0,1 por ciento de las personas más ricas del mundo. Para ellos, los sueldos altos y los traspasos desmesurados no representan ningún problema. Se calcula que el valor neto de los fondos que controlan los dueños del City es de quinientos cincuenta mil millones de libras y, cuando se barajan esas cifras, no sorprende que los sueldos en la Premier League se acerquen a los de la NBA o la MLB, en especial si se tiene en cuenta que la audiencia mundial de la Premier League es mucho mayor. ¿Sorprende que atraiga inversiones de multinacionales? Por supuesto, los estadounidenses, apasionados por el deporte, fueron los primeros en descubrir su potencial. Los Glazers entraron en el United; el Liverpool ha tenido dos grupos de propietarios estadounidenses; el multimillonario estadounidense Randy Lerner compró el Aston Villa; y Stan Kroenke, el mayor accionista del Arsenal, también es de Estados Unidos.

De lo que se deduce que no deberíamos sentirnos culpables por pedir sueldos exagerados, ya que nunca se sabe quién administra el dinero. Sé de una famosa historia sobre las negociaciones del contrato de Seth Johnson, cuando iba a firmar por el Leeds United. En esos tiempos, el club gastaba por encima de sus posibilidades para lograr victorias. Casi todos los futbolistas, retirados o en activo, tienen su propia versión, pero los elementos clave son indiscutibles. A mí me contaron que Johnson inició unas negociaciones junto a su agente en las que esperaban lograr un contrato de tres años y quince mil libras de sueldo a la semana. Al otro lado de la mesa se encontraban los representantes del Leed United, incluido su presidente, Peter Ridsdale, nada dispuestos a negociar. «Vamos a ofrecerle un contrato de cinco años y treinta y siete mil libras a la semana, nada más.» El agente de Johnson solicitó hablar un momento con su cliente, al que aconsejó que firmara el contrato cuanto antes.

¿Es eso avaricia? ¿Qué habríais hecho vosotros? ¿Decir la verdad? No creo. Yo habría hecho lo mismo que Johnson, volver a la sala y firmar antes de que nadie formulara alguna pregunta delicada. Cuando la situación económica se deterioró, el Leeds todavía contaba con jugadores a los que, a pesar de haber cambiado de equipo, les seguía subvencionando el sueldo. Tras hacerse con el control del Leeds y revisar los libros de cuentas, Ken Bates aseguró en una entrevista que hasta el último céntimo que el club había ganado por jugar la semifinal de la Champions League (unos doce millones de libras) se había destinado a pagar el sueldo de Gary Kelly, que tenía cinco años de contrato. Y acordaos de que es un lateral derecho. Lo siento por los aficionados del Leeds, pero si hubiera sido uno de sus jugadores en esos tiempos, no habría sentido ninguna lástima por los encargados de repartir contratos con cantidades que parecían números de teléfono. El problema para los futbolistas es que somos la imagen pública del fracaso, pues en el terreno de juego no hay donde esconderse. Sin embargo, los propietarios pueden ocultarse detrás de cristales oscuros en lo alto del estadio o, algo que está mucho más de moda en la actualidad, en otro país. Aplausos, Glazers.

Hace años, cuando había muchas más ofertas por jugadores mediocres, algunos de los que conocí se aprovecharon de los contratos «de paridad». Estos se introdujeron para tentarlos y que firmaran por un club en vez de por otro, con la garantía de que indistintamente de a quién ficharan después —Shearer, Giggs, Keane, etc.—, cobrarían lo mismo que el mejor pagado. Los que los engañaron seguro que se morían de risa.

El primer problema es que esos contratos aparecieron a finales de la década de los noventa. En ese momento, los clubes de la Premier League aún no habían atraído a los riquísimos propietarios que tienen hoy en día, pero, cuando los acapararon, los sueldos se pusieron por las nubes y los jugadores que tenían contratos de paridad se beneficiaron de ellos. En la actualidad se firman muy pocos, aunque aún existe alguno. Según dicen, una de las cláusulas del contrato de Carlos Tévez especifica que ha de ser el jugador mejor pagado del City. Si ese club buscara en el mercado a alguien como Messi, tal como hizo con Kaká hace unos años, su sueldo se duplicaría. Aunque el City pudiera permitírselo, conceder semejante aumento de sueldo a un jugador que desapareció durante la pugna por conseguir su primer título en la Premier League no sentaría muy bien en Abu Dabi. Es uno de los peligros de los contratos de paridad. Imaginad lo que sentiríais si hubierais estado en el City toda la temporada, hubierais hecho una gran labor para conseguir el primer título en cuarenta y cuatro años (como Joe Hart, David Silva, Sergio Agüero, Vincent Kompany) y vieseis que a Tévez le pagan el doble tras haber fichado a Messi durante el verano. Dicho de otro modo, los contratos de paridad generan resentimiento entre los jugadores y pueden traer más problemas que ventajas. A menos que se tenga uno, claro.

Las fortunas recién adquiridas de los futbolistas han abierto las puertas a un sinfín de posibilidades recreativas, y no solo a los más ricos de entre ellos. Ir a las carreras de caballos siempre ha sido un pasatiempo habitual entre los jugadores, pero ahora se hace a lo grande, con helicópteros que llevan a los futbolistas desde todos los rincones del país a los palcos más codiciados, en los que se desviven por ellos y les ofrecen la mejor comida y bebida posible.

Hace unos años, nos juntamos veinte jugadores en el Festival de Cheltenham. No había estado nunca y no sabía qué me iba a encontrar. Creía que no me gustaría, pero siempre había querido ir para poder decir que había estado. Al final resultó ser una experiencia muy agradable que no me importaría repetir, aunque no exactamente de la misma forma. Quedamos a las seis y media de la mañana junto al campo de entrenamiento, donde nos recogió una limusina blanca (muy elegante) para hacer el viaje, que nos pareció larguísimo, hasta el festival. El que llegara tarde tenía que beberse un *jäger-bomb*; el que llamara a su mujer o a su novia tenía que beberse otro; y a cada hora en punto todos teníamos que beber uno. Al final, cuando llegamos a Cheltenham, estábamos todos como cubas. Al salir de la limusina y verme rodeado de gente vestida de *tweed* me sentí fatal. Habría preferido no llamar la atención, pero veinte jugadores de camino al palco principal no pasan precisamente desapercibidos.

En todos los equipos, hay uno o dos jugadores expertos en alguna materia o que, al menos, conocen a alguien que sí lo es. En el nuestro había uno. No sé de dónde le llegaban los soplos, pero, en cuanto ganó la segunda carrera, me convertí en su sombra. Poco después, todos se fueron uniendo, hasta que nuestro compañero tuvo que justificarse: «Si perdéis, luego no me echéis la culpa. No os estoy diciendo que apostéis a esos caballos, ¿ok? Me estáis poniendo en una situación muy incómoda». A lo que el capitán contestó: «¡Corta el rollo y desembucha!». Los jugadores apostaron por turnos y a la quinta carrera había un buen montón de dinero en el centro de la mesa.

Detrás de nosotros había una mesa llena de burgueses rurales a los que, la verdad sea dicha, seguramente estábamos molestando con nuestro escandaloso comportamiento. Nuestra excusa era que estábamos pasando un día en las carreras tomando Guinness (y *jägerbombs*) y nos apetecía desmelenarnos. Cada vez que elevábamos el tono de voz, se volvían hacia nosotros y suspiraban para mostrarnos su desagrado. Al poco, nuestro grupo empezó a sentirse ofendido porque los ocupantes de la mesa vecina se incomodaran, lo que provocó una de las demostraciones más exquisitas de poner a alguien en su sitio que he visto jamás.

A esas alturas estábamos pletóricos y arriesgamos diez mil libras en una apuesta a ganador y colocado, que, como era de esperar, ganamos. Dejaron el dinero en la mesa junto a todo el que habíamos conseguido, que serían unas cincuenta mil libras, o más. Mientras nos felicitábamos los unos a los otros, se oyó una risa en la mesa de los adinerados campesinos, una de esas que se sabe que es a tu costa. Un par de compañeros se volvieron y se toparon con una acaudalada señora que les espetó: «Con eso conseguiréis un montón de floreros». Ni siquiera tenía sentido, pero lo dijo con semejante acritud que todo nuestro grupo se sintió ultrajado.

Y nadie tanto como nuestro jugador estrella. Cogió un puñado de billetes de la mesa, los hizo añicos y los lanzó al aire para que cayeran encima de la mujer y sus acompañantes. En aquel momento, deseé que me tragara la tierra, pero cuando volví a casa y se me pasó la borrachera pensé que era la mejor respuesta que podía dar un nuevo rico a los que lo son por herencia, una sensación que aún se reafirmó más cuando recordé que habían sacado un rollo de celo rápidamente para pegar los trozos. A veces, por mucho que se intente cambiar su forma de pensar, la gente está predispuesta en tu contra. A pesar de que lo que hizo nuestro compañero fue de lo más convencional, los puso en evidencia.

Como veis, no se puede hablar de carreras de caballos sin mencionar las apuestas. En el fútbol están por todas partes. No soy muy dado a apostar, pero incluso a mí me fue muy bien en las apuestas acumuladas en la Champions League antes de que los organismos rectores prohibieran a los jugadores apostar en los deportes con los que estuvieran relacionados. Nunca leía los pronósticos ni nada por el estilo, me dejaba llevar por el instinto y solo apostaba unas cien libras cada vez.

Hace unas temporadas, en una gira por Oriente Próximo, compartí habitación con un auténtico ludópata. Estuvimos juntos una semana y durante ese tiempo las únicas palabras que intercambiamos fueron: «¿Tienes las llaves de la habitación?». Me habían contado que tenía problemas con el juego, pero jamás había visto cosa igual. Había ido con dos ordenadores y los colocó en la mesa. Mis esperanzas de llamar por Skype a casa se esfumaron. Todavía no sé muy bien por qué no tenía uno solo con dos ventanas abiertas. Sus páginas preferidas eran Betfair y Paddy Power. Recibía en el móvil las últimas noticias sobre cualquier competición y apostaba en todo. Por suerte, finalmente recibió la ayuda que necesitaba.

La historia más triste que conozco sobre el juego la protagonizaron dos jugadores del Newcastle que mataban el tiempo en la habitación del hotel antes de los partidos apostando a qué gota de lluvia caería antes desde lo alto de la ventana.

La llegada de las apuestas en línea ha procurado una nueva tentación a los jugadores a los que les gusta ganar dinero y, al igual que los contratos de paridad, solo requiere aprovechar la mejor ocasión. Cuando empecé a jugar como profesional, las apuestas en línea durante los partidos acababan de aparecer en el mercado; nadie sabía si iban a funcionar, lo que no impidió que cada corredor de apuestas ofreciera su propia versión. Con el trascurso del tiempo, ese servicio se ha refinado para maximizar los beneficios de los corredores, pero entonces todavía existía un resquicio del que podían aprovecharse los apostantes y los jugadores.

Un antiguo compañero de equipo fue uno de los que se benefició. Durante una temporada, un equipo normalmente gana el lanzamiento de moneda un cincuenta por ciento de veces, pero cuando se juega fuera de casa, incluso si el capitán pierde, el equipo local cede el saque inicial para poder atacar hacia sus aficionados en la segunda parte. Si se desea hacer ese saque y no importa hacia donde se ataque en la primera parte, fácilmente se puede ganar el setenta y cinco por ciento de los saques a lo largo de una temporada. Y, de suceder, es facilísimo apostar a qué equipo ganará el saque inicial.

En aquel tiempo era joven e ingenuo, y pensaba que ese jugador no tenía remedio. Hacíamos el saque inicial, le pasaba el balón y siempre, sin excepción, lo enviaba hacia la banda, fuera del campo. Parecía tan normal que nadie le prestaba atención. No caí en la cuenta de lo que estaba haciendo hasta que hace unos años me junté con unos compañeros de ese equipo y empezamos a hablar de los viejos tiempos. Siempre que le cuento esa historia a alguien que fuera profesional en aquellas temporadas, me responde igual: «Sí, en nuestro equipo había un compañero que hacía lo mismo. Ganó mucho dinero». Me han contado lo mismo sobre saques de esquina, tiros a puerta, faltas e incluso tarjetas amarillas.

Sin embargo, cuando el juego en línea se generalizó, sustentado por las apuestas realizadas durante los partidos, las mejoras que lo potenciaron se sofisticaron aún más. En la actualidad, los sitios web detectan nuevos usuarios, cantidades de dinero anómalas (lo que quizás indique que un grupo de jugadores han apostado entre todos, con lo que la suma es inusual) o una extraña oleada de apuestas que proviene de un país o de un grupo de casas en la misma calle. Comprueban el historial de apuestas automáticamente e incluso verifican el crédito sin que uno se entere.

Lo que no implica que los jugadores hayan dejado de apostar. Es cuestión de encontrar una mula. Conozco un equipo que solía apostar al resultado de sus partidos. Solo lo hacían a que ganarían y no había nada que sugiriera que hubieran entrado en contacto o hubieran realizado algún pacto con el equipo contrario. Pero, dada la naturaleza del dinero, uno tiende a pensar que la posibilidad de conseguir una buena suma, aparte de la prima por ganar el partido, los incentivaba a jugar mejor.

No creáis que es un caso aislado, imagino que sucede en todo el país, cada semana y en algunos de los equipos más importantes. Conozco a jugadores que son compañeros en la selección nacional y amigos de futbolistas de otros clubes que se telefonean desde el autobús o el hotel para preguntar: «¿Qué tal lo tenéis mañana? ¿Apuesto?». Estudian los encuentros y eligen los que les gustan. Un poco de información extra es de gran ayuda. Algunas veces, esos jugadores me llaman para saber si tenemos posibilidades. Sky Sports y varios sitios web publican noticias sobre las lesiones, pero lo que no saben es qué jugadores han estado de juerga el jueves, cuáles han pasado toda la semana encamados en la habitación de un hotel con una joven y quién tiene problemas en casa.

Como era de esperar, algunos de los mayores ludópatas pertenecen a los equipos más importantes. Vigilarlos es muy difícil —de hecho, es prácticamente imposible—, pero reconforta saber que las autoridades no intervienen cuando la situación es de dominio público. La investigación sobre los partidos amañados en la temporada 2011-2012 en Italia es un buen ejemplo.

La PFA ha ayudado mucho a los futbolistas que han sucumbido al juego y la adicción. Apoyó a algunos de mis amigos que tuvieron problemas al retirarse y les ofreció asesoría sobre opciones laborales fuera del fútbol. Otros hicieron inversiones precipitadas y se pillaron los dedos. Hace unos años, mucha gente invirtió en la industria cinematográfica británica y en proyectos de construcción por las ventajas fiscales que ofrecían. Algunos amigos ganaron mucho dinero, pero Gordon Brown, que a la sazón era ministro de Economía y Hacienda, empezó a desterrar esas lagunas fiscales poco a poco. Varios amigos se vieron en una situación muy comprometida e incluso tuvieron que renunciar a la inversión inicial. Otro amigo perdió trescientas mil libras y se vio obligado a pedir prestado a otro futbolista para salir del apuro.

Indistintamente de cuánto dinero se tenga, invertir es tener fe en algo en lo que se cree. Cunde la impresión de que los futbolistas son más vulnerables a los tiburones financieros por su riqueza y falta de experiencia. En algunos casos es cierto, pero el mayor riesgo al que se enfrentan al invertir dinero son ellos mismos. La pauta que rige en los vestuarios impone que todo el mundo quiera estar al corriente de los asuntos de los demás, ya sea en vehículos, chicas o finanzas. Si un jugador comenta una posible inversión un lunes, casi seguro que a final de la semana todo el equipo se habrá informado y que un elevado porcentaje se dejará influir por lo que hagan los demás, en vez de guiarse por su parecer. Recuerdo que cuando un famoso estadio se convirtió en apartamentos de lujo, la mayoría de los jugadores de mi equipo no quiso dejar escapar la oportunidad. En un primer momento, yo también firmé, pero —por suerte— no estaba en situación de comprar uno. Después pensé que no tenía sentido adquirir una propiedad para alquilarla, sabiendo que tendría que competir con veinte propietarios para encontrar inquilino. No hacía falta ser un mago de las finanzas, el riesgo era evidente.

Al poco, los jugadores empezaron a bajar los precios para atraer arrendatarios, y la misma pauta que impera en los vestuarios y que les indujo a comprar esos pisos les forzó a confesar lo que cobraban por el alquiler. Al final ni siquiera conseguían cubrir la hipoteca. Cuando se asustaron e intentaron deshacerse de las propiedades para recuperar la inversión, todos se encontraron con la misma situación y, a la larga, acabaron con un neto patrimonial negativo y dando por perdidas miles de libras.

Conozco a futbolistas que ganaron mucho dinero vendiendo propiedades cuando el mercado estaba en alza e, igualmente, sé de jugadores que sufrieron grandes pérdidas cuando estalló la burbuja inmobiliaria en el 2008. Pero no les tengáis pena, la verdad es que siguen poniendo el cazo, en especial en la Premier League, en la que todo está a su alcance. He llegado a la conclusión de que hay tanto que decir sobre contentarse con lo que se tiene como sobre añadir otro cero en la cuenta. Al fin y al cabo, ¿cuánto es suficiente?

CAPÍTULO 9

MALA CONDUCTA

Permitid que os diga al principio de este capítulo que no soy un ángel ni pretendo serlo. En los tiempos en los que salía por la noche, hubo ocasiones en las que fui tremendamente irresponsable. Ofendí con mi comportamiento a mucha gente e hice auténticas estupideces de las que no estoy nada orgulloso. Aunque, por otra parte, me proporcionaron un montón de historias que contar.

Estuviera con quien estuviese, siempre era el miembro del grupo que veía venir los problemas. Era el que rechazaba los bailes sensuales, el que alejaba a los amigos de los que tenían ganas de bronca y el que solía asegurarse de que acabáramos la velada sin meternos ni meter a nadie en demasiados problemas. Lo paso muy bien cuando estoy solo, seguramente lo prefiero y, a decir verdad, no necesito un montón de satélites dándome jabón. Sin embargo, como buen juerguista reformado, soy propenso a las recaídas. De vez en cuando, todo el mundo necesita desmelenarse.

La cantidad de dinero que ganan los jugadores propicia que todo sea posible cuando se sale de noche. En una de las mejores acabamos al amanecer en Ámsterdam. Aquel día decidimos descartar Londres porque había huelga de trenes y la ciudad estaba prácticamente desierta. Tras un breve conciliábulo, nos reunimos en el aeropuerto de Luton; de madrugada, la mayoría eligió una dama de la noche.

Mis padres me inculcaron la idea de que si hacía alguna estupidez, como tomar drogas, beber demasiado o participar en orgías que acabaran en embarazos no deseados, siempre sería al que pillaran, mientras los demás escurrirían el bulto (la verdad es que, por alguna razón, lo único que se me quedó grabado fueron las orgías y los embarazos no deseados). Nunca me han hecho uno de esos bailes sensuales porque no le veo la gracia a que me pongan a cien sin la recompensa final. Hace un tiempo caí en la cuenta de que es una simple cuestión de dinero, pero, aun así, me he mantenido al margen.

Así que acabé en el café de enfrente mientras el resto dejaba bien alta su respectiva bandera. No llevaba allí ni veinte minutos cuando me percaté de que estaba aspirando una posible dosis letal de cigarrillo colombiano, que sin duda no pasaría inadvertida en los controles de dopaje. Son el tipo de cosas que te hacen desbarrar: las meteduras de pata me persiguen, a pesar de que intento alejarme de los líos. Y si bajo la guardia, todo tiene tendencia a descontrolarse.

En los últimos años, Las Vegas ha superado a Marbella como destino para los futbolistas que quieren echar una cana al aire. Los motivos son innumerables: fiestas alocadas en las piscinas, chicas encantadoras y, si se tiene dinero, nada que no pueda disfrutarse. Pero la verdadera razón por la que se va a Las Vegas es porque hasta el más enajenado de nuestros comportamientos pasa por formal.

Seguramente, las fiestas en la piscina de Rehab son las más famosas de esa ciudad y, a diez mil dólares diarios la cabaña, sin duda las más caras. Los domingos se llena de gente guapa. Hace unas temporadas hice la peregrinación con un grupo de parranderos habituales y me quedé flipado con el grado de disipación que encontré. Antes de acabar la semana, dos jugadores se habían ido a casa porque no eran capaces de continuar, ocho se hicieron tatuajes y uno volvió a Inglaterra con una chica y se casó con ella en una boda de penalti. A mitad de la escapada, uno de los compañeros nos dijo que Lindsay Lohan nos había invitado a su casa en Los Ángeles. Tras una breve reunión, decidieron alquilar un coche, lo que no me acabó de convencer. Al final acerté en mi decisión de no ir, porque en cuanto llegaron se dieron cuenta de que estaba bajo arresto domiciliario. Uno de ellos me dijo más tarde: «Condujimos cinco horas para ver una puta película». Idiotas.

Conozco todos los clubes y bares de moda dignos de ir y he visto todo tipo de espectáculos. He disfrutado de las grandes noches de Ibiza en Pachá, Space, Amnesia y Es Paradis. He viajado por Asia, estado en fiestas en las zonas más modernas de Tokio y he hecho todo lo que merecía la pena en Gran Bretaña y Europa, incluidos bares de hielo en Suecia y cabarés en París. Estuve en un bar fantástico en Estonia que era galería de tiro a la vez. Después de tomar unos cócteles, los camareros nos entregaron un menú en el que aparecía todo tipo de arma imaginable; se elegía una (yo probé con un AK-47) y la foto de un conocido dictador, y a disparar. No sé qué pensaría la policía de este tipo de diversión, pero fue una experiencia inolvidable. Aunque, pensándolo bien, creo que jamás he estado en un local que se pareciera a TAO, en Las Vegas

Pedimos una de las mesas que exigían un gasto mínimo de cinco mil dólares, lo que no suponía un gran problema, pues las botellas de Dom Perignon costaban mil quinientos. En Las Vegas es absolutamente necesario contar con un «solucionador», una especie de conserje. Conocen a todo el mundo, consiguen las mejores entradas para los espectáculos, clubes, restaurantes y fiestas en piscinas, sabe dónde alquilar helicópteros y limusinas, y tienen contacto con todas las mujeres que un hombre pueda desear, tal como demostró aquella noche en TAO. Nada más sentarnos, Jess nos presentó a los dueños y les dijo quiénes éramos. Cinco minutos más tarde empezó a desfilar por delante de la mesa un grupo de mujeres increíblemente hermosas. Cuando veíamos a una que nos gustaba en especial, se lo indicábamos a Jess, y este la sentaba a nuestro lado.

A mí me daba mucha vergüenza, pero esas chicas ganan miles de dólares cada noche y no soy quién para juzgarlas. Detrás de nuestra mesa había otra ocupada por estrellas de verdad, incluido un jugador del Barcelona. Cuando solo nos quedaban un par de asientos libres apareció una auténtica preciosidad y todos nos levantamos a la vez y gritamos: «¡Esa!». Lamentable, ¿verdad?

En la mesa vecina tampoco pasó inadvertida. Cuando Jess vino a la nuestra después de hablar con sus ocupantes, nos dimos cuenta de que no éramos tan importantes como creíamos. Nos dijo: «Me han pedido que os informe de que duplicarán cualquier oferta que hagáis por la chica». Subimos hasta cinco mil dólares, lo que solo sirvió para avergonzar a todas las personas implicadas. Más tarde nos enteramos de que algunas de esas chicas ganan hasta treinta mil dólares en una velada, solo por la compañía. Todo lo demás queda a su entera voluntad y sujeto a una nueva negociación. Al menos, eso es lo que me contaron.

Pero aquel inicial intento de controlar el dinero no duró mucho. De hecho, a partir de entonces hicimos todo lo contrario. Un compañero, mortalmente ofendido por haber perdido a la chica, desafió a los ocupantes de la mesa vecina a una «guerra de champán». Una legendaria muestra de la moderna masculinidad. Si dos mesas quieren picarse se envía una botella de champán, con lo que la otra mesa se ve obligada a corresponder. El juego se acaba cuando la cuenta es demasiado alta para una de ellas. Es como una partida de póquer en la que la clave son los faroles y los falsos faroles. Si una mesa sigue jugando pero no puede pagar la cuenta, se la somete a la mayor de las humillaciones: los encargados de la seguridad les conminan a abandonar el establecimiento, en medio de abucheos y silbidos.

Mi amigo no iba a dejarse ganar dos veces en la misma noche. Llamó a Jess y le pidió que les enviara una *jeroboam* de Cristal. Mientras la botella de tres litros iba de la barra a la mesa, la mitad de los presentes la siguió con la mirada. Cuando nuestra Némesis reaccionó enviándonos un camarero con la misma botella y doce chupitos de tequila, se oyeron vítores, y fue cuando empezó realmente la guerra del champán. Diez minutos después, mi amigo (yo no quería intervenir y se lo dejé claro) les mandó diez botellas de litro de Cristal con una pajita, una sombrilla y una bengala en cada una, que fueron correspondidas casi inmediatamente con una caja entera (doce botellas) de Dom Perignon de 1998. La bola de nieve seguía rodando; el gerente envió de forma automática más chicas a ambas mesas para que nos ayudaran a beber y prolongar así la guerra. Evidentemente, todas eran de pago.

Ningún bando mostró señales de darse por vencido. Mi amigo consiguió arrastrar a algunos de los jugadores de nuestra mesa para que compartieran el desafío. En ese momento, afloró la bravuconería y la estupidez. «¡Vamos a aplastarlos!», dijo uno de ellos, y es exactamente lo que hicieron. En ocasiones especiales, el club envía botellas de champán a las mesas deslizándolas por un cable. Es muy espectacular y pone el listón muy alto. Los tres compinchados le pidieron a Jess que enviara por el aire las cinco *jeroboam* de Cristal que quedaban en el club y, mientras iban de camino, el pinchadiscos conectó el iPhone que le había dado mi amigo. Como he dicho antes, si puedes pagar, Las Vegas hará por ti lo que quieras.

Cuando la primera botella pasó por encima de los presentes y precipitó una escandalosa reacción con abundante chocar de palmas de tipos con gorras de béisbol puestas al revés, el pinchadiscos apretó el botón. Que un club de fútbol adopte la canción *I'm Forever Blowing Bubbles* como himno es un tanto extraño, pero que se oiga a todo volumen en un local nocturno de Las Vegas de madrugada lo es más aún. Los chicos querían que se asemejaran a los aviones de la RAF y le habían pedido que colocara una bandera británica en cada botella. En la mesa rival no echaron a perder el espectáculo, sino que se levantaron y aplaudieron. Nos sentamos, esperamos su respuesta y a los cinco minutos cinco botellas vacías con banderas blancas sobrevolaron la pista de baile.

Uno de los ocupantes de la mesa vencida se acercó para estrecharnos la mano. No lo reconocí, pero evidentemente era «alguien». Nos explicó que no quería abandonar el club, pero que ya bastaba. Los dueños no lo iban a echar porque era lo que en Las Vegas se conoce como alguien desprendido y un cliente asiduo. Propuso que pagáramos la cuenta a medias, lo que me hizo pensar inmediatamente que solo éramos unos contendientes más. De hecho, no me habría sorprendido que fuera el dueño. ¿La cuenta? Un poco menos de ciento treinta mil dólares, sin contar la propina, que, según nos explicó Jess de camino al hotel, no se acercaba al récord ni de lejos, pero habíamos estado a la altura.

Son situaciones muy extrañas. Había dejado muy claro que no quería intervenir, pero solo intentaba engañarme a mí mismo. ¿Cómo iba a estar en esa mesa y pagar solo mis copas? Habría sido ridículo. Sabía bien cómo iba a acabar la noche y lo que suponía para mis finanzas ir a Las Vegas con un grupo de jugadores. Por eso no me inmuté cuando tuve que pagar una cuenta de catorce mil dólares, que incluía un servicio de habitaciones disparatadamente caro y un viaje en helicóptero al Gran Cañón. El club formaba parte del hotel, con lo que el gasto se apuntó a las habitaciones. Evidentemente, lo habían fraccionado en partes iguales. A pesar de que no protesté, insistí en ver la cuenta de los demás, por pura cuestión mercantil.

No era la primera vez que me tropezaba con ese jugador del Barcelona. Unos años antes estuve en esa ciudad el fin de semana que su equipo ganó la Liga. Había reservado un par de habitaciones en el Gran Hotel La Florida, una para mi mujer y para mí, y otra para nuestros mejores amigos en Inglaterra, una pareja que vivía cerca del club en el que jugaba en ese momento. Pasamos el primer día relajados junto a la piscina, tomando mojitos y conversando con los clientes. Por la tarde, mi amigo y yo conocimos a dos catalanas con mucho estilo que nos preguntaron a qué nos dedicábamos y les contestamos que diseñábamos bares y restaurantes (sabe Dios por qué), y que habíamos ido a Barcelona para ver nuestra última creación, Luna-tic. Muy sorprendidas, nos confesaron que dirigían una empresa de diseño de interiores y que habían trabajado en los mejores bares de la ciudad, incluido en el que estábamos (menuda coincidencia). Incluso recibimos un correo electrónico cuando volvimos a casa en el que nos decían que estaban muy interesadas en hablar sobre Luna-tic y nos preguntaban si íbamos a licitar el diseño de su interior, porque les gustaría pujar por él.

Tras varios mojitos más, el gerente del hotel apareció en el bar para informar a los presentes de que estaba reservado. Se disculpó y sugirió que fuéramos a tomar una copa a la parte delantera, donde se estaba celebrando una concentración de antiguos Ferrari. Es un coche que me gusta tanto como al que más, pero cuando el entrenador de tenis del hotel me dijo que el bar lo había reservado el F. C. Barcelona, supe dónde iba a pasar aquella noche. Estaríamos presentes, fuera como fuera. Al final resultó increíblemente fácil colarnos, apareció un autobús con el equipo y nos limitamos a seguir a los jugadores. Lejos de ser un acto oficial, parecía más bien una decisión tomada a la ligera tras su triunfo en la Liga. Baste decir que, después de unas cuantas copas y de ver cómo se lanzaban los jugadores al agua con el trofeo y algunas jóvenes ligeras de ropa, nos aceptaron.

Estuvimos de fiesta con el equipo y la mayoría de los huéspedes del hotel durante gran parte de la noche, e hicimos alguna pausa de vez en cuando en el vestíbulo. Durante una de ellas vimos a un par de jugadores fumando. Mi amigo me comentó que había bebido lo suficiente como para no tener que pedirles que se hicieran fotografías con nosotros y que iba a la habitación para coger su cámara buena. Pero en la recepción no había nadie, todo el mundo estaba en la fiesta y las llaves a buen recaudo detrás del mostrador. Lo único que había en el vestíbulo era un carrito de equipaje. Al poco rato, desafiamos a los dos jugadores a lanzarnos con él. Por desgracia, aceptaron, seguramente embriagados de alegría por haber ganado la Liga.

El juego comenzó de forma bastante inocua: bastaba con llegar al otro extremo del vestíbulo sin caerse. Pero enseguida elevamos la apuesta y uno de los centrocampistas españoles sugirió en un inglés sorprendentemente bueno que nos lanzáramos hacia la puerta giratoria calculando el momento exacto de atravesarla para salir al aparcamiento. Aceptamos el desafío. Al principio resultó bastante complicado, pero conforme fuimos intentándolo empezamos a acercarnos cada vez más, hasta que al final uno de los jugadores del Barcelona la cruzó limpiamente. Salimos corriendo, justo a tiempo de verlo llegar a los adoquines, girar bruscamente a la derecha y estamparse contra el morro de un Ferrari Testarrosa. Por suerte, al carrito no le pasó nada, el ocupante había salido despedido antes, pero el automóvil resulto dañado. Las dos barras delanteras del carrito habían colisionado frontalmente y cualquiera que no hubiera visto el accidente habría pensado que el propietario había chocado con dos bolardos.

Al día siguiente nos despertamos —con cierto dolor de cabeza, he de confesar— y bajamos para pagar la cuenta. En la recepción se oía una tremenda discusión entre el personal del hotel y dos iracundas mujeres, y se había congregado un considerable grupo de curiosos. Éramos los únicos clientes que nos íbamos, y un empleado nos adelantó en la fila para que pudiéramos llegar a tiempo al aeropuerto. Cuando llegamos al mostrador, mi amigo me dio un codazo y señaló hacia las mujeres que estaban armando el escándalo. Eran las decoradoras de interiores a las que habíamos contado la historia del Luna-tic la tarde anterior. «¿Qué pasa?», preguntó mi amigo. Las mujeres soltaron un profundo suspiro, como si fuera de lo único que habían estado hablando toda la mañana y entre las dos nos explicaron lo que había sucedido. «Anoche fuimos a Barcelona para asistir a la inauguración de nuestro nuevo bar», nos informó la primera de ellas. «Hicimos todo el diseño del interior», añadió la segunda. «Cuando nos trajeron de vuelta al hotel, nos dimos cuenta de que alguien había chocado contra nuestro coche. —Se dio la vuelta hacia la empleada que había detrás del mostrador y continuó—: Y estos cabrones dicen que fuimos nosotras.»

El responsable de aquel desaguisado es más famoso que yo, mucho más rico que yo y, que yo sepa, cuenta con al menos un trofeo internacional más que yo, pero no soy un gilipollas. Me he prometido que, si algún día decido abrir el Luna-tic en Barcelona, me aseguraré de que esas mujeres consigan el contrato para hacer el diseño del interior.

A lo largo de los años, las azafatas han sido protagonistas habituales en noches mucho más exóticas, sobre todo desde que un jugador que conozco empezó a salir con una italiana llamada Francesca que trabajaba para Alitalia. Era —es posible que todavía lo sea— espectacular, completamente natural y con mucha clase. Consiguió que, a partir del momento en que la conocí, me fijara más en las azafatas.

Desde entonces nos hemos visto varias veces, aunque sin duda la más memorable fue cuando su avión no pudo despegar de Londres unas Navidades en que mi equipo estaba en la capital para jugar un partido. Metimos a la tripulación en el hotel y pasamos la noche intimando. Al poco, la tripulación, harta y cansada, sugirió que nos bañáramos en la bonita piscina del hotel. No habían venido con sus maletas, por lo que tuvimos que buscar al utilero, que nos proporcionó camisetas de calentamiento y los pantalones cortos que íbamos a utilizar en el partido (los utileros son fantásticos, cuando les pides la equipación lloran a mares, pero nunca te dan la espalda. Al día siguiente, tuvo que dar explicaciones de por qué los pantalones no estaban del todo secos cuando se hizo el saque inicial).

Una vez cambiados, la tripulación y varios jugadores titulares bajamos a la piscina. Francesca sugirió jugar a Marco Polo, un juego en el que un participante cierra los ojos mientras el resto se mueve a su alrededor y evita que lo atrape. La persona que no ve dice «Marco»; el resto, «Polo». Parece de tontos, ¿verdad? En realidad, lo es. Si alguien sale de la piscina, se convierte en un «pez fuera del agua» y tiene que intentar atrapar a los demás. Al cabo de media hora, los dos extremos de la piscina, las duchas, la sauna y el *jacuzzi* estaban llenos de peces fuera del agua. Cuando Francesca me preguntó si quería jugar solo con ella, me armé de un valor sobrenatural, le deseé una feliz Navidad y una encantadora velada, antes de ir a la habitación a ocuparme furiosamente de mí mismo.

Las Navidades siempre son un extraño periodo del

año, pero a mí me encanta el día de Navidad. Me reúno con amigos de distintas partes del mundo antes de abrigarnos bien y salir fuera a tirarnos bolas de nieve. Después entramos para calentarnos con una taza de chocolate caliente y cenar pavo con todo tipo de guarniciones. Pero después el entrenamiento acaba y tenemos que volver al hotel, donde nos encierran el resto del día. De acuerdo, es una festividad que para mí no ha sido lo que podría considerarse convencional durante mucho tiempo, y los subterfugios a los que recurren los jugadores para compensar el hecho de no estar en casa o de tomarse unas copas mientras la reina habla sin parar de la Commonwealth son, en ocasiones, un tanto manidos, pero es a lo que estamos acostumbrados.

Nuestras Navidades comienzan a mediados de diciembre con la inadecuada aunque memorable cena de Navidad. El esfuerzo que se invierte en reservar hoteles, transporte, local, diversión, alcohol y, a veces, mujeres para treinta futbolistas, y al mismo tiempo conseguir que paguen todos, requiere de un nivel de atención al detalle que no siempre se percibe en el terreno de juego.

La primera vez que acudí a una de ellas no estaba muy seguro de cómo sería. Por suerte, no era el más joven, ya que eso habría implicado hacerme cargo del bote que, según recuerdo, eran las siete mil libras que se habían recaudado por multas. Quizá no parezca mucho, pero previamente se había invertido una cantidad de cinco cifras en alquilar el local, el personal y los encargados de la seguridad, lo que equivalía a que muchos extranjeros se habían dejado los guantes en el campo de entrenamiento (es un hecho, no un comentario xenófobo). De verdad es un montón de dinero para que lo cuide un chaval de dieciocho años. Es una labor ingrata. En el fondo, es una noche que se va de una bronca a otra mientras se te insulta sin miramientos por no ser suficientemente rápido o equivocarte a la hora de pedir.

Cuando el bote se acaba, lo mejor es fingir una enfermedad mortal. En la actualidad ya no se utiliza a los chavales, lo que es una pena, porque no es agradable ver que a los jugadores jóvenes se les da todo en bandeja.

Esas fiestas son impresionantes. Una vez alquilamos un avión en el que secuestramos el interfono para que un jugador muy divertido imitara a varios mánager. Si la memoria no me falla, fue una fiesta de disfraces que empezó en un aeropuerto de Inglaterra con un juego de bebedores en el que intervenía el personaje de *¿Dónde está Wally?*, perfectamente representado por uno de los centrocampistas. Cada media hora, más o menos, desaparecía, y la última persona que lo localizara tenía que acabarse la copa. Al acabar la noche, Wally se había escondido muchas veces en el servicio con la cabeza inclinada sobre el váter. En esa misma fiesta, hubo una pelea con un jugador de otro equipo por una agarrada en uno de los partidos de la temporada. Si siempre os habéis preguntado quién ganaría en una pelea entre el Zorro y la Masa, la respuesta es la Masa, siempre.

Hace unas cuantas Navidades, me invitaron unos amigos que jugaban en un equipo de la Championship. Pusieron toda la carne en el asador y en todos los garitos a los que fuimos nos recibían con dos postes que nos llegaban a la cintura unidos por un cordón rojo del que colgaba un cubo de hielo con una mágnum de Grey Goose, el vodka que parecía estar de moda en aquellos tiempos. Mientras se le dieran veinte libras al encargado de los servicios y cincuenta al que se ocupaba del local se estaba bien surtido de todo el Paco Rabanne y de todas las chicas que un hombre pudiera desear. Nunca me han gustado las mujeres que se ven obligadas a ir a esos sitios. No sé por qué, seguramente es una mezcla de frustración y esnobismo.

Le dije al jugador que me alojaba que iba a casa a acostarme. «¡Ni se te ocurra! —protestó—. ¿Qué va a decir mi mujer si apareces sin mí?» Tenía razón, había confiado en que, después de todo el Grey Goose que habíamos tomado, no cayera en la cuenta, pero no, era de las personas que tienen las antenas puestas todo el tiempo en esas situaciones. Para ellos, salir una noche es una obra de arte: si se hace bien, se bebe todo lo que se quiere, los aficionados y las aspirantes a novia o mujer te alimentan el ego y se acaba llevando a una al huerto. Pero, si se hace mal, se puede acabar como uno de mis amigos, frente a Panacea en Mánchester, sangrando por la nariz y sin cartera.

A eso de las siete de la mañana, ya no había sitios a los que ir. El casino estaba cerrando, no sin que antes una de las chicas que trabajaban allí hubiera conseguido que uno de mis amigos se gastara cinco mil libras en champán y fichas (no me enteré de lo que estaba pasando hasta que vi que le daban copas gratis en la barra, pero cuando se lo dije no le importó). El cabecilla preguntó a las chicas dónde se alojaban. Al poco, seis de nosotros, tres de cada sexo, íbamos de camino a un Holiday Inn en las afueras de la ciudad.

Todavía no he oído nada que defina tan bien a ese tipo de chicas como la conversación que mantuvimos en el taxi. «¿Jugáis en la Championship? ¿Y qué es eso? ¿Es como la Premiership? ¿Jugáis contra Wayne Rooney? ¡Dios mío! ¡En una categoría inferior! ¿De verdad? ¡Dios mío, no puedo creer que vaya a acostarme con un futbolista de la Championship!» No sé por qué recuerdo con tanta nitidez ese trayecto, pero se me quedó grabado. Imagino que me hizo darme cuenta del cambio de mentalidad en los últimos diez años: las chicas ya no saben por qué se acuestan con los futbolistas. Ni siquiera son lo bastante inteligentes como para preguntarse por qué lo hacen. Es como si les hubieran dicho subliminalmente que tienen que hacerlo (también conocido como efecto de la prensa amarilla).

Cuando llegamos al hotel, intenté dormir en el vestíbulo, y el portero, todo amabilidad, se ofreció a traerme café, seguramente porque le di pena. Un par de horas más tarde, toda la cuadrilla salió del ascensor. Intento no juzgar a la gente por su aspecto (de verdad), aunque de forma subconsciente todos lo hacemos, ¿no? Así que me limitaré a decir que, cuando la chica parlanchina del taxi apareció en el vestíbulo con un chándal Juicy Couture color naranja, la noche le había pasado factura. No estaba como para llevarla a conocer a mi madre precisamente. Le dio un beso de despedida a mi amigo, se volvió hacia mí y me espetó: «Por cierto, Imogen me ha pedido que te diga que eres un gilipollas». (Imogen era otra de las chicas y, al parecer, al quedarme en el vestíbulo le había arruinado la noche. Durante la velada no me había dirigido ni media palabra.)

Al final he acabado por disfrutar de las fiestas de Navidad, aunque pronto pasen a formar parte del pasado, a pesar del esfuerzo del Manchester City por dejar bien alta la bandera en la temporada que ha ganado el título. Aunque tampoco puede negarse que existen menos probabilidades de meterse en líos en la representación navideña de los juveniles de tu equipo, una obra de bajo presupuesto, pero muy entretenida en la que actúan varios jugadores titulares, el mánager y los preparadores físicos. Todo el mundo está listo para burlarse, pero al final se parten de risa. La última fue especialmente buena y, a pesar de no merecer que la eligieran para los Óscar, actuó el presidente (suele ser el único excluido), que seguramente echó por tierra algunos primeros contratos profesionales.

Hay quien dirá que la única pega de esos días del año es que haya tantos partidos que jugar. En gran parte se debe a las vacaciones de invierno, pero los encuentros han de disputarse y no creo que los jugadores estén más frescos al final de temporada gracias a dos semanas de vacaciones antes de Navidades, porque siempre hay alguno que aprovecha la ocasión para desmadrarse.

La preparación resulta fundamental y estar en forma es un elemento clave en las aspiraciones de cualquier equipo durante el maratón navideño. Algunos clubes mantienen a sus jugadores en el hotel tanto como pueden, e incluso van de un partido fuera de casa a otro y se entrenan allí. No es que funcione siempre. Una vez estuve en un hotel de Mánchester en el que se estaba celebrando una fiesta de Navidades. No creo que durmiera nada esa noche, sobre todo porque mi compañero y su cómplice de piernas largas me echaron de la habitación a las dos de la mañana.

Con todo, las Navidades no son el único momento en el que uno se divierte. Las giras de pretemporada y los viajes a mitad de temporada son todo un aliciente cultural, y no solo en el terreno de juego. Una vez, en Japón, nos alojamos en un bonito hotel de cinco estrellas que, por suerte para algunos de los jugadores, estaba justo enfrente de una sencilla choza de un piso que resultó ser el burdel local. Estaba previsto que fuera con ellos una tarde, pero, como aún sufría el desfase horario, me quedé dormido en la habitación, lo que fue una pena, porque no me habría importado profundizar mis conocimientos.

Aún más extraño fue el viaje a Corea del Sur. Nos dieron dos días para explorar la zona, así que le dimos doscientos won coreanos (unas cien libras) a uno de los empleados, un botones de unos veinte años, y le prometimos que le pagaríamos las copas. Nos llevó a los mejores establecimientos de Seúl y nos puso al corriente sobre el protocolo, que al principio nos pareció extraño, por decirlo suavemente. En esa ciudad, los mejores locales son una mezcla de restaurante, bar y habitaciones privadas. Se entra en un espacio abierto y, si se mira hacia arriba, lo único que se ve son habitaciones numeradas con cientos de porteros en todos los pisos que llevan del brazo a las chicas, a las que, literalmente, las empujan dentro de habitaciones llenas de hombres.

El botones le dijo al jefe de los porteros que queríamos una habitación y subimos en ascensor a nuestro piso. La violencia con la que arrastran y tratan a las chicas es muy dura para los ojos occidentales. He de confesar que creía que todas trabajaban en ese establecimiento, pero resultó que eran lugareñas que habían salido de fiesta. Había enfermeras, estudiantes, abogadas y profesoras, y aquello era su equivalente a pasar una noche en el Dog and Duck. Una vez en la habitación, nos sentamos alrededor de una amplia mesa llena de todo tipo de bebidas imaginables. En un extremo había un televisor de pantalla plana con karaoke; en una esquina, un pequeño cuarto de baño. Diez segundos más tarde se abrió la puerta y alguien metió dentro a tres chicas coreanas.

El botones nos explicó cómo comportarnos. Si una chica se sienta, tiene interés en conocerte. Si se sienta y te sirve una copa (siempre whisky), le gustas, y para corresponder a sus insinuaciones se ha de tomar la bebida de un trago. Pero aún hay más: si se ofrece a cantar una canción en el karaoke, estás de suerte, pero antes de que acabe has de poner dinero encima de la mesa para indicarle que quieres que se vaya contigo. El dinero no es para ella, sino para que quede claro que vas a pagar un taxi. ¿Lo habéis entendido? Ofendí a tres de ellas antes de enterarme de por dónde iban los tiros.

Al poco, todos teníamos una hermosa coreana al lado. A la que estaba conmigo la habían empujado con tanta fuerza que se había hecho daño en el brazo al caer. Como buen caballero, y porque era el que estaba más cerca de la puerta, la levanté. Ella se sentó, me sirvió un whisky y se presentó como Tory. Yo llevaba un sombrero con un par de insignias (no tan hortera como parece) y me pidió una indicándomelo con el dedo. No sabía ni una palabra de inglés ni yo soy un experto en coreano. No dejó de repetirme su nombre. Fuimos apañándonos como pudimos y después me cantó una canción, pero no puse dinero en la mesa, para gran sorpresa de los presentes. Se recostó en la silla, me lanzó una mirada llena de frustración y repitió: «Stoy Tory». Soy tan educado como el que más, pero ¿cuántas veces tiene que decirte una chica cómo se llama?

Después se volvió hacia el botones y le dijo algo en coreano. Este se inclinó hacia mí y me preguntó: «¿Te gusta?». A lo que respondí: «Dile que es muy guapa». Tras oír la rápida traducción, dio un salto y se sentó en mi regazo. Inmediatamente entendí aquello como una muestra de afecto, no como una norma de protocolo exclusiva de Corea del Sur (para que veáis lo avispado que soy).

Mis amigos empezaron a darse codazos y a sonreír, pues sabían lo incómodo que me siento en ese tipo de situaciones. Me volví hacia el botones y le pedí que le dijera a Tory que me sentía halagado, pero que ya valía. Me miró perplejo y habló un momento con la chica antes de aclararme: «No se llama Tory».

—¿Cómo se llama entonces?

—Sae Rin.

—¿Y por qué me ha estado diciendo toda la noche que se llama Tory?

A esa altura de la conversación, toda la mesa nos observaba; mis amigos parecían tan confundidos como yo. Sae Rin y el botones mantuvieron un rápido intercambio de palabras tras el que el botones empezó a partirse de risa y hasta se cayó al suelo. Sae Rin me miró y escondió la cara en mi cuello para ocultar que se había ruborizado, a pesar de tener una hermosa piel color aceituna. El botones se incorporó y mientras se secaba las lágrimas me dio la explicación: «No se llama Tory. Te estaba diciendo: "Estoy caliente, estoy caliente"».

Al final nos despedimos como buenos amigos. Después de aquel fracaso en la comunicación internacional, me retiré al santuario del hotel sumido en mis pensamientos. Jamás he olvidado ese incidente. Cuando alguna vez veo a esos excompañeros de equipo, siempre hay algún graciosillo que me lo recuerda. Os podéis imaginar lo contenta que se pone mi mujer cuando se lo cuentan.

Algo de lo que me arrepiento de mis tiempos de futbolista es haberle dicho a uno de mis ídolos: «Me suena tu cara, ¿eras famoso?». Os aseguro que solo pretendía romper el hielo (¿qué se supone que hay que decir cuando se conoce a uno de tus ídolos?). Pero me salió tan mal que tuvieron que retrasar el partido hasta que el equipo arbitral y los responsables de la seguridad restablecieron el orden en el túnel.

En la temporada 2011-2012, el comportamiento en la Premier League volvió a caer en picado en lo referente al racismo. Un tribunal absolvió a John Terry, antiguo capitán de la selección inglesa, de las acusaciones de proferir insultos racistas contra Anton Ferdinand, aunque a Luis Suárez se le impusieran ocho partidos de suspensión al ser declarado culpable de la misma falta tras un altercado en Anfield con Patrice Evra.

Antes de que me acuséis de juzgar a los demás, permitidme que deje claro que no soy un santo en el terreno de juego; he intercambiado golpes e insultos. A lo que me refiero es a que no tolero los insultos racistas. Mi especialidad es lo que los jugadores de críquet llaman «comentarios»; lo que los futbolistas llaman «bromas». A lo largo de los años, he oído sutilezas vejatorias que dejaban a los jugadores más perplejos que la más dura de las entradas. Robbie Savage era uno de los asiduos del «pasar por caja», como decimos los del gremio, que consiste en decirle a un jugador lo rico que se es y lo pobre que es el otro. La clase brilla por su ausencia, pero a él le funcionaba.

Sin embargo, a veces, se empieza con una broma inocente y se acaba llegando a las manos. En un partido oí a un contrario decirle a un compañero que conocía a alguien que se había acostado con su novia, una famosa cantante. El comentario no le sentó nada bien, el ambiente se caldeó, y a partir de entonces todos los ataques acabaron con alguien rodando por el suelo. Al final del partido, cuando los estábamos separando de camino a los vestuarios, el resto del equipo se enteró del motivo por el que el encuentro se había convertido en una pelea. Aquel comentario era cierto.

Mucho de lo que se dice durante un partido no va en serio. Al fin y al cabo, no somos más que un montón de jugadores que hemos estado compitiendo entre nosotros durante años y tratándonos en el terreno de juego, aunque fuera de él no nos veamos. Nos profesamos respeto mutuo, lo que explica que, sin darme cuenta, haya acabado con varias camisetas del Manchester United del mismo futbolista. Si uno de esos futbolistas con los que tengo un vínculo me hiciera una falta, seguramente le dejaría que me ayudara a levantarme, porque sabría que no lo había hecho con mala idea. Pero si otro jugador, con el que hubiera tenido un roce, hiciera lo mismo, seguramente lo mandaría a paseo y le preguntaría al árbitro por qué no lo amonesta. Lo que, he de admitirlo, no mejora la relación.

El comportamiento de los jugadores no se limita a los once que están en el terreno de juego. Tuve un mánager que aprovechaba la parte física del juego como una forma sádica de dejar claro su planteamiento ante los homólogos que no le caían bien. Siempre sabíamos que se la tenía jurada a alguno de ellos si le oíamos decir: «Es un partido muy importante», cuando no lo era; «El sábado tendremos que jugar con dureza», cuando no era necesario; o incluso «Se la debemos», cosa que simplemente ponía de manifiesto su relación con ese mánager.

Normalmente asentimos, pero no prestamos mucha atención a la hora de cumplir órdenes, porque creemos que somos mejores jugadores de lo que imagina la gente.

A pesar de todo, el único responsable de sus actos es el jugador. Hay situaciones atenuantes, como la presión del grupo y el acaloramiento después de entradas duras y comentarios envenenados. Sin embargo, el que en última instancia ha de asumir la responsabilidad de lo que haga en el terreno de juego es el futbolista. Me he visto varias veces en televisión y no he reconocido a esa persona que ha perdido los estribos. Ojalá hubiera utilizado la táctica de un profesional que, a pesar de que le marcara uno de mis compañeros de equipo, que era un poco marrullero, estaba jugando de maravilla. Cuando salimos al campo en la segunda parte, le pregunté cómo lo había conseguido.

—Los dos conocemos a la misma chica y la he traído para que vea el partido.

—¿Y? —pregunté ingenuamente.

—Está sentada al lado de su mujer.

CAPÍTULO 10

SE ACERCA EL FIN

No sé si todo el mundo que conozco me está gastando una broma o si, desde que caí de mi pedestal, creen que no soy tan insensible como solía serlo. Saco a relucir este tema porque, desde hace un tiempo, mucha gente, incluidos amigos, familiares, compañeros de profesión y personas que he conocido en los medios de comunicación, se han atrevido a decirme que con el talento que tengo, o tenía, debería de haber jugado en lo más alto y durante mucho más tiempo.

No me importan las críticas, si eso es lo que son, pero creo que habría sido mejor que lo hubieran mencionado antes, en vez de esperar hasta el momento en el que no puedo hacer nada al respecto. Con esto no quiero insinuar que mi trayectoria habría cambiado, porque, en el fondo, no sé muy bien si quise jugar en lo más alto y ser el centro de atención. Siempre había algo que me llamaba. No sé qué es. De hecho, ni siquiera estoy seguro de que sea algo en particular. Puede que simplemente haya caído en la cuenta de que la vida es demasiado corta como para desperdiciarla jugando al fútbol.

Cada quince días hablo con mi agente largo y tendido. Mis preguntas favoritas son: si pudiera vivir en cualquier lugar del mundo y dedicarse a lo que quisiera, ¿qué elegiría? (una casa en las colinas de Ibiza y escribir libros mientras tomo buen vino, pan crujiente y jamón serrano). ¿Hacia dónde se dirige el fútbol? (a una superliga europea, sin duda, es cuestión de tiempo). ¿Por qué sigue trabajando? (lo conozco hace muchos años y todavía no sé la respuesta).

Finalmente, pasamos a los temas en los que está especializado, que incluyen: ¿cómo es posible que el país esté metido en semejante lío y cuál es la mejor manera de salir? (excesiva deuda y más exportaciones). ¿Qué pasa en el club del que es aficionado? (mala gestión, escasez de fondos). ¿Cómo es posible que teniendo más talento que el resto de sus clientes no lo haya aprovechado al máximo?

Es una buena pregunta, lo que no la hace más fácil de responder. Cuando algo llega a su fin, se experimenta un duelo que se fragmenta en cinco sentimientos, como confirmaría cualquier psicólogo.

Negación y aislamiento

Jugué en los niveles más altos y gané miles de libras a la semana. En uno de esos clubes, fui su traspaso más caro. He ganado premios consecutivos como mejor jugador del año (hago una pausa para recibir los aplausos). He conseguido trofeos y me he enfrentado a todos los futbolistas importantes de la Premier League. Pero, a veces, nada de eso tiene valor.

Hace unos años, cuando más dinero ganaba, me vi en una situación en la que todo lo bueno que tenía en esta vida estuvo a punto de desaparecer de la noche a la mañana por culpa de un mánager con demasiado ego. Tras un partido de la Premier League tuvimos un roce, la típica discusión que se produce en los vestuarios los fines de semana y que normalmente se soluciona con un apretón de manos. Pero en aquella ocasión quiso darme un castigo ejemplar delante de todo el equipo.

Desde aquel momento me marginó, hasta el punto de que me obligó a cambiarme y a entrenar con los juveniles, me prohibió hablar con los medios de comunicación e incluso tenía que comer solo, para no tener contacto con el primer equipo. En las escasas ocasiones en las que tropezaba con un compañero, incluso en el aparcamiento a primera hora de la mañana, me daba cuenta de lo incómodo que se sentía en mi presencia. No era porque le cayera mal, sino por pánico a que el mánager o alguien de su equipo lo viera saludando a un jugador al que había hecho sentir que tenía una enfermedad incurable.

Lo más duro de aceptar esa muestra de egolatría fue que algunos jugadores a los que consideraba amigos —gente con la que me había sentado al lado en el autobús durante años y con la que había peleado codo con codo en partidos como si mi vida dependiera de ello— tenían tanto miedo de que les pasara algo semejante que hicieron la vista gorda ante el vergonzoso tratamiento que se me infligía. Aunque, en realidad, no debería haberme sorprendido. El día en que me convertí en profesional supe que todo el mundo iba a la suya.

Rabia

Me molesta que la gente crea que tiene derecho a juzgar mi carrera: analistas, aficionados, familia y demás. Un jugador estadounidense que conocí siempre se quejaba de la mentalidad de los británicos, tal como nos llamó: «Aquí, si a alguien le va bien, todo el mundo le tiene envidia. En Estados Unidos, a la gente el éxito le inspira». Nunca he coincidido en muchas cosas con los estadounidenses, pero en este caso he de reconocer que tenía razón.

Casi todos los jugadores que conozco creen que los aficionados envidian el dinero que ganan, las chicas a las que atraen y el estilo de vida que llevan. Algo que resulta aún más evidente cuando las cosas no salen bien en el terreno de juego. He estado en algunos foros de aficionados y la cantidad de gente que sigue diciendo «¡Pago tu sueldo!» sigue asombrándome. Es el tipo de argumento que utilizaría un niño de cinco años. Mi respuesta preferida durante mucho tiempo fue: «Entonces seguro que tienes una casa más grande que la mía, ¿no?», hasta que decidí preguntar en el club en el que jugaba qué parte de nuestro sueldo provenía de la venta de entradas. La cifra resultó ser de aproximadamente un veintiséis por ciento, y la media en la Premier League no es mucho más alta.

También me molesta otra cosa. He estudiado fútbol durante toda mi vida profesional, y desde dentro, así que si alguien quiere discutir conmigo sobre las tácticas, los jugadores, los mánager o lo que sea, sé más que esa persona y no al revés. Tal como me dijo mi padre en una ocasión, no pasa nada por admitir que se está equivocado. Que la gente hable sin prestarme atención en vez de conversar conmigo cuando se discute sobre fútbol me saca de quicio. Este deporte es tan apasionado que todo el mundo cree que su opinión va a misa. No necesito que nadie me diga cómo jugar al fútbol, sé cómo hacerlo. No necesito que nadie me mortifique; me gusta que la gente esté de mi parte incluso cuando las cosas no salen como se esperaba.

Hace unos años, jugué un partido que arbitró Rob Styles. Tuve la sensación de que estaba favoreciendo al equipo más importante (como siempre) y se lo dije varias veces. En una interrupción del juego me aseguré de dejarle las cosas claras:

—¡No me jodas, Rob! ¿Vas a hacer algo? Nos han hecho un montón de faltas, no tienes ni idea.

—¿Has sido árbitro alguna vez? —contestó.

—No. Y tú, ¿has jugado al fútbol alguna vez?

—Tan mal como tú no.

Tuve que darle la razón, fue una excelente respuesta

que he utilizado millones de veces con los árbitros desde entonces, aunque al revés. Con todo, es un gilipollas.

Negociación

Vale, nunca he ganado un Mundial, algo a lo que siempre había aspirado desde que de niño mi padre me regaló un álbum de Panini en 1986. Pero tampoco hay tantos que lo hayan hecho, y británicos aún menos. En cuanto a mi talento, creo que lo he aprovechado bien. Hay sitios a los que puedo ir y no pagar una sola copa, y otros en los que una multitud desaforada me pegaría un tiro en cuanto me viera, pero eso es normal, ¿no? Nunca he creído haber conseguido lo que merezco comparado con los jugadores que parecen tener un ejército de relaciones públicas. Por otro lado, en una semana gané lo que mis amigos cobran en un año y lo compartí con ellos lo mejor que pude.

He perdido la cuenta de las veces que he llevado de vacaciones al extranjero a mi familia y a mis amigos. No estoy presumiendo. De hecho, no siempre fue así. Creo que la forma en que fue evolucionando es mucho más interesante. Al principio abandonábamos el país media docena de amigos para pasar lo que solamente puede describirse como dos semanas de beber a conciencia, flirtear con ganas y, de vez en cuando, pelearnos por haber bebido o flirteado demasiado.

Después empecé a ganar más dinero que todos los demás, juntos. Aquello me procuró nuevas posibilidades e inevitablemente me abrió los ojos a un estilo y nivel de vida distintos. Nunca lo había tenido todo tan al alcance de la mano. Buen vino, vacaciones en lugares exóticos, ropa cara, mujeres. Me encontré en un mundo nuevo, con una nueva forma de vida. Y me encantó. Muchas cosas empezaron a interesarme solo porque mi asesor financiero se dedicó a diversificar mis inversiones. Soy del tipo de personas que no pueden comprar una chocolatina sin saberlo todo acerca de ella, así que despertar mi curiosidad resultó de lo más sencillo. Fui a galerías de arte, catas de vino, buenos restaurantes y aprendí, me dejé influir y vi lo que se estaban perdiendo los de mi clase.

En ese tiempo, algunos de mis amigos encontraron el amor de su vida. Guiado por un proceder que ahora me doy cuenta de que era absolutamente egoísta y porque no me hacía a la idea de no ir de vacaciones con ellos nunca más, comenzamos a viajar todos juntos: familia, amigos, mujeres, niños, etc. Nunca, ni una sola vez, tuvimos ningún tipo de problemas, discusiones o peleas, excepto el día que tres de nosotros tiramos un televisor a la piscina cuando Inglaterra perdió contra Portugal en los cuartos de final de la Eurocopa 2004. Pero todo el mundo comete errores. Conozco a mucha gente que ha fallado penaltis.

Cada año alquilábamos una villa más grande, con bicicletas y coches incluidos, e incluso contrataba profesores de yoga, a petición de mi padre, que siempre insistió en que mantuviera los pies en el suelo. Nunca fue un problema. Pagaba la villa, y los demás compraban sus billetes de avión y aportaban dinero para la comida y la bebida. Recorrimos gran parte del mundo y pensamos seguir haciéndolo. Al fin y al cabo, tener a tu lado a las personas a las que amas durante una semana o dos sin el estrés y los dolores de cabeza de la vida diaria es uno de los pocos placeres que nos da esta vida. Sé que todos sienten lo mismo y agradecen haber visto y estado en lugares a los que jamás habrían podido ir solos.

Sin embargo, algunas de las actividades en las que intenté que estuvieran presentes no fueron tan placenteras como tomar el sol un par de semanas. Sin ir más lejos, uno de mis cumpleaños fue un auténtico desastre. Lo celebramos en un hotel de lujo, cuyo restaurante regentaba un famoso chef.

Quedamos en Londres y estaba lloviendo, algo inoportuno, pero nada sorprendente en Gran Bretaña. Dos de mis amigos parecían muy incómodos por tener que cumplir con el requisito de vestir chaqueta y camisa. Solo se las ponen en entierros, y si el difunto es un pariente cercano.

Cuando entramos en el hotel, se mostraron aún más cohibidos, perdidos. Sabía cómo se sentían, nos ha pasado a todos, y no es nada agradable. Me fijé en que uno de ellos llevaba los cordones llenos de barro. No los había desatado desde que la dependienta había metido los zapatos en una caja. Se los había encajado y sacado cientos de veces y los tacones estaban desgastados.

No era nada grave, pero tampoco nada exquisito. Nos acompañaron a la mesa (apresuradamente, diría). Cuando nos sentamos, el sumiller no se prodigó al presentarse. Para empezar pedí champán, seguido de una mágnum de Château Mouton Rothschild del año en que nací. El champán duró un segundo. Fue un simple equívoco, las copas no son vasos de chupito. A pesar de las suplicantes miradas, no pedí más.

Después trajeron la comida y sirvieron el vino. Por supuesto, todo estaba cocinado a la perfección y aquella cosecha era excelente. Cuando uno de mis amigos preguntó: «¿No hay más, colega?», casi todos los presentes en la mesa se echaron a reír y todo el restaurante nos miró. Al niño criado en un piso de protección que llevo dentro le pareció divertido, pero al esnob novato le ultrajó: «Sí, tío, saca el resto». Aquello fue una floja variación sobre el mismo tema, pero obtuvo una respuesta aún más entusiasta. La tensión en el restaurante iba en aumento. Algunos de los camareros oyeron los comentarios. Intervine y les expliqué que en los establecimientos elegantes uno se comporta de un modo diferente, que es necesario mostrar cierto decoro y respetar al resto de los comensales. Añadí que la gente se gasta un montón de dinero y que algunos de ellos solo podían permitirse ir a ese establecimiento una vez al año, o cada cinco años, ya puestos. Su respuesta fue atronadora: «Cumpleaños feliz, cumpleaños feliz…».

Miré al *maître*, que no parecía nada contento, y durante una fracción de segundo me puse de su parte, antes de ratificar mi lealtad y pensar que tenían tanto derecho a estar allí como cualquiera y que nuestro dinero (mi dinero) era tan bueno como el de los demás. Pero fue inútil negar lo evidente: en aquel lugar desentonábamos, al menos en grupo. Entonces me sentí defraudado conmigo mismo, con mis amigos, con el personal y con todo. Mi decepción se transformó rápidamente en rabia, algo peligroso, porque solo la siento cuando creo que me han hecho quedar en ridículo, y los estragos que puede causar son legendarios entre los que me conocen.

Pagué la cuenta y dudé si dejar propina. Al final lo hice, en parte por mi sentimiento de culpa; en parte, por si volvía algún otro día, e incluso por si algún camarero me había reconocido y avisaba a la prensa. Me había ocurrido antes y no por ser tacaño. Una vez fuera, no conseguí contener mi rabia ni un momento más, arremetí contra ellos fuera de mí y grité cosas como: «¿Era demasiado pedir?», «¿No os da vergüenza?». Cuando estaba a punto de dar rienda suelta a mis sentimientos, me fijé en los zapatos, en aquellos cordones llenos de barro que parecían mirarme. Eran lamentables, incluso ridículos. Me sentí fatal. Aquello me desfondó y me quedé bajo la lluvia dando y sintiendo pena. Mi mejor amigo se me acercó y me dijo que si había acabado les encantaría que fuera con ellos al bar Yate's, que estaba a un par de calles, pero que tendría que animarme porque les estaba aguando la fiesta.

Una vez en el pub pensaron que, cuando estábamos a punto de tomar la segunda ronda de Guinness, había pasado suficiente tiempo como para empezar a bromear y decir lo que pensaban realmente sin que me ofendiera: «¿Cómo puede beber nadie ese maldito vino? Espero que no fuera caro». Todos mis amigos me miraron. «No, la verdad es que no. Pensé que iba bien con la comida», contesté. La verdad es que me costó mil setecientas libras y solo conseguí tomar una copa, mientras que muchos de ellos ni se acabaron la suya.

Cuando dimos por terminada la noche, unos pocos decidimos tomar un taxi y volver juntos. Era tarde e iba a dormir en casa de mis padres. De camino fuimos dejando a aquellos cabrones, algo bebidos, pero mucho mejor que al principio, hasta que solo quedó uno. «Colega —dijo mi mejor amigo—. Sé que la fiesta no ha salido muy bien, pero jamás había probado un cerdo tan bueno. Gracias por invitarme. Feliz cumpleaños.» Me dio un beso en la mejilla, salió del taxi y, al llegar a la puerta, se volvió para levantar un pulgar antes de entrar.

Observé sonriendo aquella casa de protección oficial en cuyo deteriorado exterior destacaba una antena parabólica y el coche que se oxidaba en el jardín, y me di cuenta de que echaba de menos aquello. Que a veces lo echaba mucho de menos. Pensé que quizá no todos estamos hechos para la buena vida. Que a mí me encante no implica que le guste a todo el mundo. Quizá no la entienden. No, no la quieren, no la necesitan, son felices como están… ¿Y quién soy yo para imponérsela o, en ese caso, para hacérsela tragar? Al llegar a casa, encendí el televisor, pero algo seguía rondándome por la cabeza: «¡Era ternera, idiota!».

Depresión

El sábado 26 de noviembre del 2011, *The Guardian* publicó mi columna titulada: «A veces la oscuridad acecha en las candilejas». Escribí:

Que el pitido de un árbitro sea capaz de trastocar una vida para siempre predispone a que, en ocasiones, uno se deje llevar por el juego. Todo va de maravilla y, de repente, nada podría ir peor. A veces, la presión es intolerable. Tras el intento de quitarse la vida la semana pasada del árbitro de la Bundesliga Babak Rafati, los analistas y comentaristas prefirieron «ver el fútbol desde otra perspectiva» a formular la incómoda pregunta que todos callan.

Muchos deportistas de élite saben por lo que está pasando Rafati. El viernes, Stan Collymore, antiguo delantero del Liverpool, utilizó su cuenta en Twitter para decirle al mundo que la depresión que padecía era una de las más graves que había sufrido hasta entonces, y confesó que llevaba cuatro días sin ver la luz del sol. Entiendo bien ese deseo de cerrarse al mundo. En el 2002, cuando me diagnosticaron depresión, aún se la consideraba una lacra.

Desde que el fútbol se convirtió en un negocio mundial, hace unos veinte años, la presión que soportan sus protagonistas es como un cáliz envenenado. Por un lado, las compensaciones son inmensas, pero, por otro, el fracaso o incluso la mediocridad se transforman en el barómetro con el que se valora la vida, si bien la de unos pocos.

No me entendáis mal, no estoy diciendo que todas las personas que viven del fútbol sufran una depresión incurable, sino que la mayoría estamos sometidos a cierto grado de presión: de lo que dirán de nosotros los titulares a los aficionados que vuelven al trabajo el lunes por la mañana sin saber si tendrán para poner gasolina en el coche, pero compran una entrada de cuarenta libras el sábado siguiente.

Cuando empecé a jugar, no existía preparación ante los medios de comunicación ni psicología deportiva que ayudara en un momento determinado: la presión era algo a lo que uno se enfrentaba sin más. Hay jugadores que están tan preocupados que sienten náuseas antes de un partido, y uno de mis amigos incluso recurre al oxígeno, tal es su miedo a no jugar bien.

Conozco a muchos jugadores a los que les afecta lo que

leen en un tablón de anuncios o en los periódicos. Aunque haya noventa y nueve comentarios positivos, siempre buscan una observación negativa para después preocuparse por ella en cuerpo y alma.

Un jugador sabe perfectamente si ha jugado mal y, sin embargo, el miedo a que un periodista ponga por los suelos una actuación poco acertada sigue siendo un obstáculo para alguno de ellos. He de confesar que en tiempos me negué a que me entrevistaran los periodistas cuya puntuación en la crítica del partido de la semana anterior no reflejaba mi verdadera contribución en el encuentro. Nada más escribir esta frase, caigo en la cuenta de lo lamentable que debe sonar, pero imaginad que puntúan vuestro rendimiento laboral todas las semanas.

Estas muestras de inseguridad no se limitan a los jugadores. Cuando un mánager menciona en una entrevista que nunca lee los periódicos, lo que está dejando entrever es que lo primero que hace el lunes por la mañana es revisar todas las noticias sobre los partidos rotulador en mano.

Que la forma en que juegas esté sometida a esa presión extra es prácticamente inevitable, y en ocasiones se traduce en un bajo rendimiento que puede desembocar en un lóbrego y deprimente callejón sin salida. Hay ejemplos trágicos de jugadores que han llegado a un punto límite. En el 2009, el portero alemán Robert Enke se quitó la vida al no lograr sobrellevar la muerte de su hija. Su incapacidad para aceptar el análisis exhaustivo de su juego, que no toleraba que estuviera por debajo de lo que él mismo se exigía, recrudecieron su enfermedad.

Por desgracia, entre los ricos y en particular entre los deportistas que a los ojos del público trabajan en lo que les gusta, las enfermedades mentales siguen siendo un concepto que muchos no consiguen entender. La palabra «depresión» evoca una imagen manida, y no parece que la opinión pública la perciba de la misma forma que, por ejemplo, al estrés postraumático.

Sin embargo, y por extraño que parezca en un juego dominado por la testosterona reprimida, la aceptación y el tratamiento de la depresión está mejorando. Los mánager entienden, quizá más que nunca, que en la actualidad el talento de un futbolista lo catapultará desde muy joven a la riqueza y la fama, a las que acompañan la vulnerabilidad e infinitas recompensas.

La cobertura del fútbol que realizan los medios de comunicación también ha cambiado y ha provocado una incesante búsqueda de contenidos que, a su vez, ha suscitado el interés por la vida privada de muchos jugadores. Creo que ha llegado el momento de que los órganos de gobierno establezcan la línea divisoria entre lo que los jugadores reciben de los medios de comunicación y los espectadores, y lo que es una violación de los derechos humanos.

Hay quien ha preguntado qué hace un banquero en el fútbol, Rafati lo es. Casi todos los días de la semana somos testigos de la presión que conlleva arbitrar partidos importantes, pero, a pesar de que ser banquero es sin duda una buena forma de ganarse la vida, ante todo es un trabajo. El fútbol es una pasión, y en un mundo ideal algo por lo que vivir y no por lo que morir.

Por supuesto, el mundo no es ideal, y siempre resulta más fácil echarle la culpa a alguien. A veces veo a los aficionados gritar a los jugadores de su equipo con semejante furia que por un momento dejo de identificarme con ellos; eso consigue que muchos jugadores suban a toda prisa al autobús, aunque haya cientos de niños esperando a que les firmen autógrafos.

He aprendido, a mi manera, a hacer frente a los efectos secundarios del fútbol, pero porque creo (de hecho, lo sé) que si algunas de las personas implicadas en este deporte hubieran llegado a un momento en su vida en el que ponerse frente a un tren o cortarse las venas en la habitación de un hotel fuera su única salida, el fútbol dejaría de ser simplemente un juego, ¿no?

Envié esa columna a principios de semana porque el tema era muy delicado. Que yo recuerde recibí varias llamadas de *The Guardian* en las que me preguntaron si realmente quería que se publicase; me preguntaron quién más, aparte del médico del club, sabía que sufría una depresión y si estaba preparado para los comentarios que inevitablemente suscitaría, pues habría gente que no sería benevolente con un futbolista que sufre depresión. Tras meditarlo con detenimiento, tomé la decisión de seguir adelante. Era un tema importante y quería que los lectores supieran que en el fútbol no todo es champán y caviar. A veces, como señala el subdirector en el titular, la oscuridad acecha en las candilejas. La columna se publicó tal como la envié, excepto en un detalle: el director me indicó que al referirme a Babak no podía decir «intento de suicidio», pues resultaba ofensivo y doloroso para su familia. Tuve que cambiarlo por «quitarse la vida» y no, yo tampoco veo la diferencia.

Creí que provocaría un aluvión de comentarios en los que se cuestionaría que estuviera deprimido, pero la respuesta fue mayoritariamente positiva. Sin embargo, nadie relacionado con el fútbol ni yo mismo podíamos haber previsto lo que sucedió al día siguiente. Recuerdo que me llamaron para preguntarme si había leído el teletexto de uno de los canales deportivos. Encendí el televisor: «Encuentran muerto al entrenador de la selección galesa Gary Speed». Lo primero que se me pasó por la cabeza fue horrible (y antes de que me acuséis de ser más vanidoso y egocéntrico de lo que soy, me limito a decir la verdad), me pregunté si habría leído la columna.

El problema en el mundo actual de la comunicación instantánea es que en vez de pararse a pensar si lo que va a teclear, enviar en un mensaje de texto o en un tuit es positivo o respetuoso, mucha gente lo manda, y luego ya se hará esas preguntas (en algunos casos, nunca). Prácticamente, todos los mensajes que recibí decían: «Gary Speed se ha ahorcado... ¿Cree que ha leído su columna?».

Que aquel día todos pensáramos lo mismo no me consoló. Solo fue una horrenda coincidencia, pero el sentimiento que subyacía en aquella columna se había manifestado, hasta cierto punto, en la vida real aquella misma mañana. Resultaba espeluznante. Fuese cual fuese la verdad sobre su muerte (y no quiero saberla), supuso un trágico ejemplo de la presión que algunas personas, por la razón que sea, encierran en su interior.

No lo conocí personalmente, pero sí a muchas personas que lo trataron. Jugué contra él y contra equipos de los que fue mánager, y jamás oí decir nada malo de él, excepto algunas frases respecto a la forma en que se despidió y dejó a su familia. Aquella tarde mantuve una acalorada discusión con otro compañero cuando calificó de cobardes a las personas que se quitan la vida. Ese razonamiento me parece muy ofensivo, pues conlleva suposiciones sin fundamento alguno.

Cualquiera que fuese la razón por la que se quitó la vida demuestra que nadie, por mucho que haya triunfado o sea querido, es inmune al tormento que en ocasiones conjura la mente. Y es algo que conozco, porque, a pesar de que solo soy un futbolista, he pasado parte de mi vida a la sombra de lo que se conoce como la «fuerza oscura», en la que el fútbol es el principal protagonista. En el fútbol hay dos opciones: o bien se acepta todo lo que lo rodea y se convierte en tu pasión, o bien (y ese es el caso que me atañe) uno se rebela contra partes de él, pero nunca lo abandona, y se acaba dando coces contra el aguijón hasta que al final acaba consumido por el odio, la culpa, la rabia y la amargura.

La depresión siempre ha existido, pero ha hecho falta que el fútbol al más alto nivel lo llevara a primera plana. A pesar de que en tiempos era capaz de no hacer caso de los abucheos del público, de repente llegó un momento en el que no quise soportar más sus improperios y me defendí. Dejé de sonreír en las fotos con los aficionados, no me entrené de no ser necesario y no me importó no entablar conversación con jugadores con los que no tenía nada en común. Me dediqué a beber más y a discutir con el mánager (más de lo habitual).

En mi peor momento, tendí a recluirme y a mostrarme extremadamente irascible en situaciones en las que debía transigir, como en los actos patrocinados. Aunque casi todo el mundo con el que tenía contacto pensó que era un gilipollas arrogante, el médico del club sospechó que mi comportamiento se debía a otro motivo y me citó en su consulta. «¿Qué tal la cabeza?», me preguntó. En ese momento, no sabía que su especialidad era la salud mental. En cuanto me lo dijo tomé la decisión de contarle todo lo que me había sucedido en los últimos diez años, mi historial, el diagnóstico anterior, el mal genio, todo.

Al principio se centró en el diagnóstico erróneo de «psicosis maniacodepresiva» o trastorno bipolar, como se conoce ahora. Esa enfermedad se manifiesta de muchas formas, pero, en resumidas cuentas, el que la sufre atraviesa largos periodos de su vida en los que le resulta imposible llevar a cabo las tareas más insignificantes, hasta que finalmente se aísla por completo. A esos periodos le siguen unos desproporcionados arrebatos de actividad que se exteriorizan en lo que las personas «normales» consideran un comportamiento irracional, excéntrico o perturbado.

Tras una fuerte inversión de dinero que salió catastróficamente mal, me vi a la deriva con el resto de «apartados», que en el mundo del fútbol equivale al pelotón de los torpes en educación primaria. Lo que básicamente quería decir que, de no producirse un aparatoso accidente con el autobús de regreso de un partido fuera de casa, no iba a volver a jugar en ese club. E incluso si se producía, sería algo fugaz.

Como vivía muy lejos de mi familia, tenía mucho tiempo para darle vueltas a la cabeza, algo que en mi caso siempre ha sido muy peligroso. Una noche que vaya usted a saber lo que nos metimos un amigo y yo, empezamos a pensar cómo combatir la monotonía de aquella situación, que parecía no tener un desenlace evidente. La propuesta que realmente me sedujo fue la más arriesgada, la más estúpida y, sin duda, la mejor con diferencia.

El miércoles suele ser nuestro día libre. Lo habitual durante la semana es que los lunes sean relajados, después del partido del sábado; el martes se aprieta un poco más; y el jueves y el viernes se dedican a la técnica y la táctica, conforme el mánager va componiendo la formación titular y la estrategia ante el encuentro del fin de semana.

En ese momento, los entrenamientos me parecían soporíferos. Que yo sepa, para organizar uno se necesita cierto número de profesionales, pero en aquellos tiempos muchas veces solo estábamos cuatro. No nos quejamos, porque nadie nos hubiera prestado atención. Ni los jugadores querían ir ni tampoco el preparador, y mientras los presentes no dijeran nada, el preparador estaba encantado de darlos por terminados al cabo de una hora. También ayudó mucho que estuviera compartiendo casa con este último.

Entre los dos hicimos una lista de los lugares interesantes a los que podríamos ir y volver en avión en el mismo día. Evidentemente, la mayoría estaban en Europa, aunque también apuntamos uno o dos en el norte de África. Empezamos a viajar de la forma más inocente: los miércoles íbamos al aeropuerto y elegíamos un lugar que no fuera muy complicado de visitar. Pero al final se nos fue de las manos. Salir del país sin permiso durante la temporada, se sea titular o no, acarrea una multa de dos semanas como mínimo. Dada mi situación en el club, hasta podrían haberme despedido.

En la segunda versión del «vuela si cuela», anotábamos los destinos disponibles y elegíamos uno al azar entre las papeletas que revolvíamos en la cacerola en la que preparábamos la pasta todas las noches desde hacía un año. Una vez allí, uno de nosotros tenía que hacer lo que el otro quisiera, por lo que en esta vida me ha tocado proponer matrimonio a cuatro mujeres: una sueca llamada Anna, una francesa llamada Yvette, una checa llamada Martika y mi mujer, con un cincuenta por ciento de éxito, aunque la verdad es que Yvette se habría casado con cualquiera.

Otros momentos destacados de nuestras correrías fueron: tirarnos desde puentes con cuerdas elásticas; ir a dedo a Kamëz, una ciudad cercana a Tirana, con dos tipos que estoy seguro que eran de la mafia; volar a Brun disfrazados de Batman y Robin; ponernos nuestros mejores trajes y hacernos pasar por porteros incompetentes en el Four Seasons de París, hasta que nos descubrió uno de sus clientes habituales; y tantas cosas ilegales que ni siquiera me atrevo a escribirlas de forma anónima. A pesar de todo, no fue la psicosis maniacodepresiva, el trastorno bipolar o como quiera llamarse lo que provocó todo aquello. Fue pura rebelión, propiciada por el aburrimiento y la frustración (por cierto, prefiero este diagnóstico personal que los dos erróneos de bipolaridad).

No quiero que nadie se compadezca de mí. Nunca he pretendido tal cosa. Por algo me costó diez años pedir ayuda. También he de confesar que, en su peor momento, la depresión es una enfermedad terrible. Consigue que el que la padece parezca arrogante, maleducado, vago o introvertido, y eso en uno de sus días buenos.

En casa había una silla Eames. No era muy cómoda,

pero daba el pego. Además, era lo primero que veía cuando volvía después de los entrenamientos. Durante los peores días de la fuerza oscura, entraba en casa, me sentaba en esa silla y me quedaba allí hasta que me iba a la cama. Muchas de las personas que sufren una depresión hablan de un lugar que las atrae como un imán, un sitio en el que se sienten a salvo y en el que no tienen que ver a nadie ni hacer nada. La silla Eames era ese lugar seguro para mí y, sin duda, un imán. Me sentaba en ella porque sabía que, en cuanto lo hiciera, no tendría que levantarme para hacer nada a lo que no quisiera enfrentarme.

Todo el mundo sabía que una vez sentado no me movería. Mi mujer, que estaba al tanto, salía a mi encuentro cuando entraba en casa, me daba la vuelta y me llevaba a comer a la ciudad o me pedía que la ayudara en algún recado. Pasaba todo el tiempo mirando el móvil (no tengo reloj) y deseaba que los segundos transcurrieran más deprisa para poder volver a la silla. Una vez en ella, no hacía nada más durante el resto del día. Era como una especie de parálisis, no podía levantarme, como si un peso invisible en el regazo me impidiera hacer cualquier cosa. La televisión estaba apagada, no leía un libro ni hablaba; simplemente, me quedaba sentado, hora tras hora, día tras día, temiendo ir a la cama, porque sabía que, en cuanto abriera los ojos, tendría que salir de casa para ir a entrenar y todo volvería a empezar.

Ahora, gracias a quince miligramos de Mirtazapina por la mañana, que actúa como somnífero antidepresivo (oxímoron donde los haya), y a veinte de Escitalopram (eran cuarenta, pero uno de sus ingredientes, parecido a la MDMA de los éxtasis que tomaba a los diecisiete años, me bloqueaba la mandíbula), soy una persona completamente diferente. Todavía tengo días malos, pero no me despierto aterrorizado por el día que tengo por delante, no desvío la mirada fuera del campo de entrenamiento deseando estar lo más lejos posible de allí y no me enfrento a cada tarea como si tuviera que escalar el Everest. Ninguna pastilla conseguirá que disfrute haciendo cola en un cajero automático o empujando un carrito en el supermercado, pero, al menos, ahora consigo hacer ese tipo de cosas.

Durante un tiempo, mi forma de jugar al fútbol mejoró más de lo que hubiera podido imaginar. Tuve la sensación de que alguien me había devuelto la visión de juego perfecta. Sé que suena extraño, pero cuando se sufre una depresión el piloto automático se convierte en tu mejor aliado, porque una parte del cerebro se apodera del resto y, cruelmente, hace lo mínimo por sobrellevarla. Me encantaría decir que hablar con alguien fue la clave de mi recuperación, pero sería mentira; fueron las pastillas, en especial la dosis de Escitalopram.

Cuando me las recetó, el médico me dijo: «Los resultados son excepcionales. Ah, no puedes sufrir una sobredosis, por si se te había pasado por la cabeza». No fue la única persona que sabía que debía ir con cuidado conmigo. En un primer momento, me remitieron a una clínica de Londres (a la que no quería ir). Tras pasar dos horas con un joven que se limitó a comentar «Ya veo» y «¿Qué sensación le produce?», llegué a la conclusión de que estaba perdiendo el tiempo. Al final de la consulta me dijo: «Voy a ser sincero con usted. Su caso me preocupa, me sentiría mucho mejor si alguien le acompañara a casa». Estaba tan preocupado que jamás me llamó para concertar una segunda visita. ¿Pensará alguna vez qué ha sido de mí?

La terapia es una experiencia de lo más extraña. Tuve que estar sentado durante horas mientras personas que no conocía me preguntaban: «¿Cuándo fue la última vez que se mostró agresivo? ¿Cuándo fue la última vez que pensó en suicidarse? En esa visión, ¿cómo se suicida?».

Tuve la impresión de que *The Dark Side of the Moon*, de Pink Floyd, tenía mucho que ver en ese interrogatorio, por lo que me limité a decir: «No tengo miedo a morir. Me da igual cuándo. ¿Por qué debería tener miedo a morir? No hay por qué tenerlo, todos moriremos algún día», que, como bien saben los amantes de Pink Floyd, es parte de las letras de ese disco. No lo pillaron. Gran parte del material que utilicé en mi columna proviene de ese tiempo, lo que me lleva a pensar que quizás había algo de razón en el diagnóstico de psicosis maniacodepresiva. Por ejemplo, la lista de lo que más oía en iTunes era una reliquia de una (con suerte) encarnación muy antigua de mí mismo. La encabezaba *Love Will Tear Us Apart*, de Joy Division, cuyo cantante, Ian Curtis, se suicidó; sus enigmáticas y atormentadas letras resonaron en mi mente durante muchos años. He intentado meterlas con calzador en casi todas mis columnas, pero no lo he conseguido.

La segunda era *We Do What We're Told (Milgram's 37)*, de Peter Gabriel, una canción sobre los controvertidos experimentos que llevó a cabo el psicólogo social Stanley Milgram. Incluye gritos torturados que se oyen a lo lejos, y eso sí conseguí introducirlo en una columna. La tercera era la sensacional *It's Alright Ma (I'm Only Bleeding)*, de Bob Dylan, que todavía me sigue desquiciando. Es un poema tan bueno que intentar entenderlo es una pérdida de tiempo. Uno de los versos en particular me volvió loco durante un tiempo, el que habla de predicadores que anuncian un destino funesto y profesores que enseñan que el saber espera, y acaba con la observación de que hasta el presidente de Estados Unidos ha de estar desnudo alguna vez. Hay algo en ese verso que me emocionó.

Recuerdo mi reticencia a claudicar ante las pastillas. En un mundo ideal, una persona podría recuperar su salud mental de forma natural en vez de tener que recurrir a fármacos, sobre todo teniendo en cuenta la cantidad de ayuda disponible. La terapia cognitivo-conductual, o TCC si se es muy vago, requiere trabajar con un experto para renovar la forma en que el cerebro ha acabado percibiendo el mundo y las situaciones diarias. En mi caso, durante muchos años me dediqué a acumular pensamientos negativos y a depurar una actitud que subestimaba todo lo bueno que había en mi vida, en especial el fútbol. La TCC reajusta esa disposición al tiempo que permite enfrentarse a todo lo que el cerebro ha aparcado porque no quería ocuparse de ello y básicamente hace borrón y cuenta nueva. Por supuesto, resulta muy difícil saber qué parte de mi recién estrenado punto de vista se debe a la TCC o a los fármacos. Como no quiero pensar que he malgastado trescientas libras a la semana durante el año pasado en la TCC, diré que seguramente es un cincuenta por ciento. Y en lo que a mí respecta, ese tema queda zanjado.

Que conste que nunca creí que llegaría a la edad que tengo. La vida ha pasado volando, he tenido momentos increíblemente buenos y otros terriblemente malos, de los que nunca me recuperaré. Cuando era niño, mi padre me contó la historia de uno de sus héroes, Peter Green, de Fleetwood Mac. Sus compañeros de grupo, desesperados por mantener la popularidad inicial, empezaron a presionarle para que compusiera otro éxito. A mediados de la década de los setenta, después de que le diagnosticaran esquizofrenia, provocada por su incapacidad para aceptar la fama y el éxito del grupo que había fundado, se sometió a terapia de electrochoque en un psiquiátrico. Incluso se dejó crecer las uñas hasta el punto de no poder tocar la guitarra. Me he acordado de esa historia hace unos párrafos porque, conforme voy escribiendo las últimas páginas de este libro, sé que, si quiero ser sincero, he de confesar que llevo un año bebiendo y comiendo en exceso, en un penoso intento por tener tanta barriga que no me elijan para ser titular. No me apetece nada jugar al fútbol otra vez. No quiero pasar por lo mismo nunca más. No me obliguéis.

Aceptación

Vale, lo confieso, nunca he explotado a fondo mi potencial. Tengo demasiados defectos que me impiden ser constante en prácticamente todo lo que hago. Cualquier otra explicación sería una excusa. Pero el fútbol es un juego cruel. Ni siquiera está igualado, como quieren hacernos creer los analistas, porque hay equipos con mucho talento y equipos en los que sus jugadores tienen que compensar su falta de talento corriendo más rápido y pegando más fuerte. A título personal, soy culpable de interesarme demasiado en cosas que sucedían fuera del terreno de juego y en dejar que mi carrera se resintiera. Cuanto más alto se llega en el fútbol, más cosas han de tenerse en cuenta; si no se consigue controlarlas, que es lo que me pasó, quizá sean tu perdición.

Los contratos de cesión de derechos de imagen son un buen ejemplo y merecen la pena siempre que no se abuse de ellos. Se ha escrito mucho sobre ese tipo de contratos y todavía no se entienden del todo. Empecemos por el principio.

Si un club de fútbol reconoce que se beneficiará explotando tu imagen, que es la propiedad más personal que se posee, ha de compensarlo económicamente. En pocas palabras, ha de pagar al jugador y reflejarlo en su contrato.

En el mundo de la música funciona así: si tengo una fotografía de Paul McCartney o Liam Gallagher que vale mucho dinero y quiero explotarla comercialmente, tendré que llegar a un acuerdo con el sello discográfico que posee los derechos del artista. Si cree que mi oferta es adecuada y, a la vez, voy a pagar a su artista un suculento porcentaje que le compense, en teoría puedo explotar la imagen.

En el fútbol es muy parecido. Si una empresa o un patrocinador de un club de fútbol desea explotar la imagen o el nombre de un jugador, debe remunerar al club. En lo que se diferencia ligeramente es que la retribución que se da al jugador se pacta de antemano y en que no suele pagarse según se use su imagen. He de aclarar que los contratos de cesión de derechos de imagen no son ilegales, pero contienen muchas zonas oscuras. Si uno de ellos llegara a los tribunales, ambas partes contarían con argumentos convincentes.

Cuando se pusieron de moda, muchos agentes empezaron a insistir a los clubes que pagaran a sus jugadores a través de empresas creadas únicamente para evadir impuestos. Lo que no quiere decir que los jugadores no tuvieran una imagen que mereciera la pena explotar: todos podían esgrimir argumentos para que un porcentaje de su sueldo o del pago de su fichaje se cobrara a través de una empresa de derechos de imagen porque las camisetas que se venden en la tienda del club llevan su apellido. La zona oscura está relacionada con la cantidad exacta que un jugador debe recibir por parte del club por derechos de imagen, porque —y de esto no estoy seguro—, por ejemplo, probablemente se venden más camisetas de Wayne Rooney que de Dimitar Berbatov.

David Beckham tendría muchas cosas que decir en este punto. Su imagen y su nombre valen millones de libras porque venden infinidad de productos en todo el mundo. Beckham cuenta con una buena baza para negociar; la prueba de ello es que equipos como Los Ángeles Galaxy le pagan un buen sueldo porque comercializan innumerables productos marca Beckham. Básicamente, ese «sueldo» no se cobra por jugar al fútbol, sino que es un adelanto por los artículos de marca que el club y sus socios venden mientras dure su contrato.

Es uno de los pocos contratos en los que se cobra mensualmente conforme se recupera el dinero, porque las cantidades son muy elevadas. En vez de pagar el sueldo directamente a Beckham, se ingresa en la empresa que se ha creado para gestionar los derechos de imagen, que, a su vez, entrega un dividendo a sus accionistas al final del año fiscal. Normalmente, los accionistas principales son solo una persona: el jugador. El «vacío legal», como les gusta llamarlo a los medios de comunicación, se produce porque la deuda tributaria se paga según la cuota del impuesto de sociedades, en vez de la del impuesto sobre las personas físicas, que es más elevado.

Nadie puede negar que la imagen de Beckham valga millones de libras, pero se producen muchos abusos de ese vacío legal. Me contaron que dos jugadores de uno de los clubes más importantes de la Premier League cobraban hasta un setenta y cinco por ciento de su paga semanal a través de empresas creadas para gestionar sus derechos de imagen. Evidentemente, es una absoluta tomadura de pelo, y a Hacienda no le hace ninguna gracia que se lo restrieguen por las narices.

Cuando empecé a jugar al fútbol, no tenía nada. Como buen romántico incorregible, gasté las últimas cinco libras que tenía en comprar unos dulces y un par de latas de Coca-Cola en el muelle de Blackpool. Poco después, firmé mi primer contrato profesional por quinientas libras a la semana, lo que era muchísimo dinero en mi situación. Más tarde, con la ayuda de una empresa de derechos de imagen, empecé a ganar miles de libras semanales. Me gusta el dinero, pero para invertirlo y ayudar a mi familia y amigos. Nunca he tenido grandes cantidades en efectivo, porque siempre he invertido hasta el último penique. Parte de ese dinero se perderá cuando el «nuevo Facebook» en el que tantas esperanzas había depositado se convierta en el nuevo Myspace. A la inversa, quizá recupere parte y con beneficios, sobre todo si el resto de las empresas en las que he invertido continúan facturando al ritmo al que lo están haciendo. Pero el problema de vivir acorde con los medios económicos de los que se dispone es que casi nunca se tiene dinero para emergencias.

Y cuando el fisco de su majestad decida que ya ha aguantado bastante al fútbol y a sus jugadores multimillonarios, con sus vacíos legales, espabilados agentes, empresas de derechos de imagen y ejércitos de gestores, entonces es cuando la situación estallará. Como me ha pasado a mí. Lo único que tiene que hacer es enviar una liquidación de impuestos lo suficientemente elevada como para que sea demasiado caro recurrirla, porque ¿y si no se gana? Lo más aterrador es que la mía fue de las más moderadas. Me han contado que hay jugadores en casi todos los clubes de la Premier League a los que les han enviado liquidaciones similares, y las han pagado para no complicarse la vida y evitarse la vergüenza pública. Un pajarito me contó que un jugador de las Midlands tendrá que apoquinar cerca de cinco millones de libras.

En los buenos tiempos de la Premier League, ese tipo de problemas parecían muy lejanos. Teníamos un bonito chalé con cinco dormitorios, sala de juegos, cine y tantas habitaciones que no recuerdo haber estado en todas. En una de ellas había una mesa de *snooker* que se había utilizado en el campeonato del mundo y una colección de consolas de videojuegos que acumulaban polvo en un aparador hecho a medida y que me costó seis mil libras. El mobiliario era italiano, y algunos muebles contenían una amplia colección de las más solicitadas y apreciadas cosechas de los últimos treinta años, de Burdeos y Borgoña.

La casa contaba con un minicentro de tratamientos, con *jacuzzi*, sauna y bañera doble, con televisor empotrado en la ducha independiente. Había obras de arte en todas las paredes, la más preciada un grabado de Picasso que compré en una subasta de Bonhams. Contaba con una red de tratantes que me avisaban antes de que las piezas más codiciadas se mostraran en las salas de subastas.

Vestía trajes hechos a medida en Savile Row y mi mujer encargó un vestido de novia a medida. Compramos los anillos en la sala privada de Tiffany's en Bond Street, además de los collares y pendientes. Llevaba a los niños a un colegio privado (que costaba tres mil libras al año) en uno de los tres coches nuevos que teníamos, uno de ellos de importación y edición limitada.

Íbamos de vacaciones a Barbados y Dubái, donde alquilábamos villas que costaban treinta mil libras a la semana, con mayordomos y personal incluidos. Durante los años de especial bonanza, alquilaba *jets* privados cargados con el mejor champán y licores para que mi familia y mis amigos vinieran a visitarnos. Contrataba chefs para que prepararan tres comidas diarias para treinta personas y reservaba mesas VIP en los locales nocturnos de moda. Cuando organizábamos una fiesta en casa, contrataba pinchadiscos y grupos de música. Éramos miembros de los mejores locales de Londres (aunque tampoco es que fuéramos a muchos) y nos codeábamos con los ricos y famosos en cenas y actos benéficos en hoteles de cinco estrellas.

Ahora casi todo eso ha desaparecido. Los impuestos que tuve que pagar prácticamente me dejaron en la ruina: vendí todo lo que había comprado gracias al fútbol. Bueno, no todo. Un día decidí hacer una última limpieza en los armarios de las habitaciones que no utilizábamos. Para ser sincero, buscaba cosas que vender. Una de ellas tenía ducha. Ni siquiera habíamos quitado la pegatina de la empresa que había hecho la mampara a medida, ni el plástico azul transparente que tanto placer da cuando se separa del cristal. La parte inferior de los azulejos blancos mostraba la mancha del polvo que se había acumulado durante un par de años. Bajo el lavabo había un toallero italiano de impecable factura que jamás había visto una toalla ni un italiano, pero eso sí, era muy bonito. No sé si fue la desesperación o la curiosidad lo que me llevó a abrir el cajón inferior, el más grande, porque estaba seguro de que nadie había utilizado aquella ducha desde que la habían instalado.

El ruido que hizo al deslizarlo resonó en toda la habitación y se levantó una espesa nube de polvo que sentí en la cara y los brazos. En el interior había una bolsa azul con asas arrugada en las que resaltaba la palabra IKEA en amarillo. Que yo supiera, no habíamos comprado nada en ese establecimiento. Pero estaba llena, el peso de aquel cajón que no había abierto nunca lo evidenciaba. Abultaba en los extremos, por lo que no podía contener los artículos habituales de esa marca, como un portarrollos, un juego de cuchillos y tenedores, un marco que no hace juego con nada o un vaso como el que estampé en casa de un amigo, cuya esposa, que tiene memoria de elefante, jamás ha olvidado.

Extrañado, aparté las asas y sentí un olor a humedad que aún me confundió más. «¿Por qué guardaríamos unas sábanas rojas aquí?», me pregunté. Jamás las habíamos utilizado en ninguna de las casas, y espero que no lo hagamos. Además, no nos gustan las sábanas de seda. Hay cosas que nunca me han atraído, ni siquiera cuando ganaba dinero a espuertas. Cuando metí la mano, me di cuenta de que, fuese lo que fuese, era pequeño, con un solo pliegue. Evidentemente, no era la funda de un edredón, seguramente se trataba de una funda de almohada desparejada, comprada en un momento de pánico, quizá cuando algún familiar inoportuno nos visitó sin haberlo invitado. Pero cuando la desdoblé advertí unas letras blancas: primero una A y luego una L. La extendí del todo para poder leer aquella palabra: ALONSO.

Aquella bolsa de IKEA resultó ser un auténtico listado de jugadores de la Premier League, antiguos y actuales, y pasé casi una hora en aquel cuarto vacío sacando una camiseta tras otra. Pisándole los talones a Alonso apareció la de Keane, a las que enseguida se unieron las de Fábregas y Adebayor. Después las de Johnson y Doyle, junto con las de Lescott, Rodwell y Hyypiä. Pero aquello no acabó ahí: en la bolsa estaban las camisetas con las que Ferdinand y Vidic ganaron el campeonato (muy apreciadas entre los coleccionistas, con los emblemas dorados de la Premier League en las mangas). Encontré la de Cahill, Davies, Woodgate y Richards. También estaban las de Cuéllar, Parnaby, Carlisle, Bale, Onuoha, Keane (el otro R. Keane), Huddlestone y Berbatov, y docenas más. Incluso había una del Leeds United firmada por todo el equipo, de cuando llegaron a las semifinales de la Champions League. En total había unas sesenta.

Sé lo que valen las camisetas de la Premier League, aquello solo podía atribuirse a la intervención divina. Calculé que valdrían unas treinta o cuarenta mil libras, sin contar el plus que podría conseguir con las de los mejores jugadores. Con suerte, en un buen día, en una sala de subastas podrían venderse por más de cincuenta mil libras. Me fui a la cama ligeramente envanecido y dormí a pierna suelta por primera vez en casi seis meses.

A la mañana siguiente, me desperté con una nueva determinación. Aquellas camisetas eran un cabo de salvamento, y lo sabía. Pasé el resto del día haciendo llamada tras llamada para encontrarles el hogar adecuado. Cuando la tarde se transformó en noche y colgué, me sentía cansado, emocionado y feliz. Me habían dado una segunda oportunidad para demostrar mi valía después de más de doce años de jugar al fútbol profesional. Era la ocasión de oro para poner fin a la locura y las estupideces, y no iba a volver a echarlo todo a perder.

Casi todas esas camisetas están ahora enmarcadas en las casas de las personas que aprecio. Mis amigos se alegraron muchísimo y me aseguraron que me las enseñarían cuando fuera a visitarlos. Me encanta ver lo orgullosos que se sienten al tenerlas en la pared. Tal como dijo Phil Daniels en una canción, me proporciona una tremenda sensación de bienestar.

La criba de lo que había atesorado durante mi carrera como futbolista no acabó allí. Encontré un nuevo hogar para cada uno de los programas firmados que me habían conseguido varios utileros a lo largo de los años. Regalé las fotografías firmadas que nunca miraba y que había confinado en una caja de zapatos escondida en las profundidades del garaje para tres coches, así como los balones de partidos importantes que había guardado. Hice una hoguera en el jardín trasero y quemé los recortes de periódicos que había guardado. Regalé los trofeos al mejor jugador del año y del mes, y las botellas de champán que se entregan al mejor jugador del día. En total, había cincuenta y siete. Pero la cantidad es lo de menos. También regalé las medallas, todas.

Necesitaba desesperadamente esas cincuenta mil libras, pero esa no es la cuestión. Las camisetas, las fotografías firmadas, las medallas y los trofeos hicieron muy felices a las personas a las que más quiero. Y lo que es más importante —en lo que respecta a mi bienestar, en cualquier caso—, puse punto final a un capítulo muy turbulento de mi vida. Quizá no disfrute de la misma posición económica y no esté a la altura de mis compañeros, pero en cuanto a satisfacción, todos me admiran. Mi carrera futbolística, colorida y especial, siempre estará ahí para cualquiera que no tenga nada mejor que hacer. Mi nombre aparece en los libros de historia, está en cientos de miles (si no millones) de páginas web y, en algunos sitios, incluso tallado en piedra. Pero el que mi apellido continúe vivo a través de mis hijos es mucho más importante que toda esa basura. Y eso, como me repito una y otra vez, es algo que esos cabrones nunca podrán arrebatarme.

EPÍLOGO

PRÓRROGA

Lo que habéis leído hasta esta página lo escribí en la primavera del 2012. Más de un año después sigo convencido de que en la vida no todo es fútbol, aunque haya momentos, tanto en Gran Bretaña como en el extranjero, en los que sea imposible negar las emociones que suscita.

Ningún ejemplo lo ilustra mejor que Merseyside. En septiembre del 2012, la comisión independiente de Hillsborough arrojó luz sobre lo que sucedió el terrible día de 1989 en el que murieron noventa y seis aficionados. Kevin MacKenzie, antiguo director de *The Sun*, incluso pidió disculpas por el desgraciadamente famoso titular «La verdad» que publicó su periódico y por las mentiras de que los aficionados habían robado a los muertos y atacado a los equipos de rescate. Solo ha tardado veintitrés años...

Tal como he dicho anteriormente, me resulta imposible no emocionarme por los aficionados del Liverpool y por lo que representa su club. Siempre que juego en Anfield me impresiona su historia, buena y mala. Espero que la verdad ayude a las familias de las víctimas, a los aficionados y al club a sobrellevar las secuelas de aquellos dolorosos incidentes en Sheffield.

Hablando de cosas menos serias, el 2012 también fue el año en que el público se rio de John Terry cuando apareció en el terreno de juego con el uniforme del

Chelsea para recoger el trofeo de la Champions League, a pesar de no haber jugado en la final. Tal como dijo un amigo mío, fue un trago muy amargo en los ambientes futbolísticos. Mucho más divertido fue el documental *Being: Liverpool*, de Channel 5, gracias a Brendan Rodgers, el nuevo mánager. No sé lo que pensaréis vosotros, pero lo vi con otros jugadores y me pareció un programa con «efecto vaca». Una cosa que nos encantó fue cuando Rodgers les dice a los jugadores: «Esta temporada nos centraremos en tres cosas», mientras levantaba el dedo índice y el pulgar.

En general, han sido tiempos difíciles para los mánager y casi me han dado pena. En noviembre del 2012, seis meses después de que el Chelsea consiguiera el trofeo de la Champions League, despidieron al hombre que lo había hecho posible, Roberto Di Matteo. Y en lo que respecta al pobre Harry Redknapp, en cuanto la selección inglesa lo rechazó se quedó sin trabajo en el Spurs. Después, fue incapaz de evitar el descenso del Queens Park Rangers, a pesar de contar con fichajes caros, como el defensa central Christopher Samba. Este, tras defender su sueldo y su rendimiento, tuvo que soportar unos vergonzosos insultos racistas.

Por mucho que nos guste decir que en este país hemos madurado, el racismo sigue presente. En septiembre del 2012, la FA multó con doscientas veinte mil libras a John Terry (otra vez él) por llamar a Anton Ferdinand «puto coño negro», a pesar de que los tribunales le habían absuelto de tener intenciones racistas. ¿Y quién puede olvidar la farsa en Stamford Bridge en octubre del 2012, cuando Mikel John Obi, del Chelsea, acusó al árbitro Mark Clattenburg de llamarlo «mono»? Llamé a un amigo que después del partido fue al vestuario y me dijo que todos los jugadores intentaron que Mikel no presentara una queja, pero que Ramires, un brasileño que apenas habla inglés, había respaldado su protesta.

Mientras tanto, en Italia, Kevin-Prince Boateng del AC Milan fue el primero en abandonar el terreno de juego, seguido de todo el equipo, después de que le dirigieran cánticos racistas durante un partido amistoso contra el Pro Patria. Y en un encuentro entre selecciones sub-21, algunos aficionados serbios imitaron cantos de monos ante los jugadores ingleses.

Pero no todo fue negativo en los terrenos de juego. Vale, Italia eliminó a Inglaterra en la Eurocopa 2012, y Corea del Sur desbarató los sueños olímpicos del equipo de Gran Bretaña, pero la Capital One Cup proporcionó algunos momentos memorables, incluido un emocionante encuentro en la cuarta ronda en el estadio Madejski en octubre del 2012. El Arsenal venció 7-5 al Reading en el tiempo añadido, en uno de los partidos más amenos de los últimos años. Por supuesto, el Bradford City, que llegó a la final, derrotó a los hombres de Wenger, aunque el Swansea se impuso y ganó su primer trofeo importante en sus ciento un años de historia.

Como aficionado, me dolió que Didier Drogba abandonara el Chelsea para irse al Shanghái Shenshua en junio del 2012. Como rival, me sentí aliviado. Es uno de los jugadores más completos que he conocido. Su poderío y su fuerza son increíbles. Cuando protege el balón, no hay manera de arrebatárselo. Es un formidable oponente que lo tiene todo. La verdad es que da asco.

Con todo, en cuanto a proezas en el terreno de juego nadie supera a Lionel Messi. El talismán del Barcelona marcó noventa y un goles en el 2012, un récord que eclipsó a la leyenda alemana Gerd Müller y que sirvió para que le concedieran el premio al mejor jugador del mundo por cuarta vez consecutiva. En el lóbrego mundo del fútbol, Messi es una luz sobrenatural que brilla en todos los campos en los que juega. Ha cambiado el rumbo del juego y en la actualidad es el dueño y señor del juego.

Aparte de él, los avances en las redes sociales, en Twitter en particular, son los que continúan revolucionando la forma en que se presenta y se consume el fútbol. Para mí su influencia ha sido la parte más consistente y destacada del fútbol en los últimos dieciocho meses.

En la actualidad, los jugadores tienen la oportunidad de relacionarse directamente con los aficionados, algo que me parece excelente y que procura a estos una opinión instantánea en una parte del juego que en tiempos estaba restringida. Sin embargo, hay gente a la que le resulta difícil romper con las tradiciones. Cuando, en el verano del 2012, Eden Hazard utilizó Twitter para anunciar al mundo que iba a jugar con el Chelsea, se llevó un buen varapalo.

Paradójicamente, Hazard fue de nuevo el que mejor ilustró la forma en que interactuamos tras un extraordinario incidente en enero del 2013, en la segunda parte de la semifinal de la Capital One Cup, en el campo del Swansea. Cuando su equipo se esforzaba por ganar el partido, lo expulsaron por dar una patada a un recogepelotas.

Aquel incidente me dejó con la boca abierta, pero no fue nada comparado con la secuela que tuvo. El equipo de comentaristas fue el primero, seguido de los analistas y algún entendido. Después, los pesos pesados de los nuevos medios de comunicación empezaron a investigar y, antes de que los periódicos sacaran su primera edición, las payasadas para perder tiempo de Charlie Morgan, de diecisiete años, se vieron en todo el mundo gracias a Internet. Su perdición fue la serie de jactanciosos mensajes que había puesto en su cuenta de Twitter. Nos dio una lección a todos: el que a tuit mata a tuit muere.

El fútbol británico todavía está digiriendo la noticia de que Alex Ferguson dejará de ser el mánager del Manchester United. Tal como lo describió alguien ingenioso en Twitter: «Sir Alex Ferguson, 26 años, 13 títulos de la Premier League, 10 Community Shields, 5 copas de la FA, 4 copas de liga, 2 copas europeas, 1 chicle…».

¿Y yo? Sigo jugando para ganarme la vida, pero sé que tengo los días contados.

No puedo dejar de acordarme de aquel día de marzo del 2012 en el que Fabrice Muamba, del Bolton, se desplomó en el terreno de juego en White Hart Lane. He de confesar que pensé que había muerto. Imagino que la mayoría de la gente pensó lo mismo.

Por una razón u otra, en ese partido jugaban muchos amigos y me dijeron que el ambiente en el campo era algo que no habían experimentado nunca, que era como ver desintegrarse una lanzadera espacial al poco de su lanzamiento; que había reinado una sensación de impotencia e incredulidad.

Fue un momento atroz, pero en esas situaciones la gente muestra lo que lleva dentro. Los paramédicos que le salvaron la vida dieron lo mejor de sí, así como el personal del hospital, los aficionados, la comunidad futbolística al completo y, lo que es más importante, el propio Fabrice. Ha tenido que retirarse, pero de esa forma ha evitado una tragedia. Ahora nos toca a nosotros reflexionar sobre una extraordinaria historia que mostró que el fútbol, a pesar de todos sus defectos, es un deporte que une a las personas en los momentos difíciles.

Aunque esa no es la razón por la que sigo jugando. Tal como mis compañeros de equipo, familia y amigos jamás se cansan de repetirme: «Hace tiempo que te retiraste». No cabe duda de que si fuera uno de esos jugadores que no tienen nada por qué vivir aparte del fútbol, sería verdad, pero ese nunca ha sido mi caso. Me encanta este deporte, pero, al igual que Fabrice, estoy deseando que me devuelvan la vida.

Otros títulos que te gustarán

[CRÓNICA DESDE DENTRO DE SU PRIMER AÑO EN EL BAYERN DE MÚNICH]

MARTÍ PERARNAU

HERR PEP
de Martí Perarnau

Una crónica íntima de Guardiola en el Bayern de Múnich: los éxitos, los problemas y las claves del nuevo equipo de Pep. Martí Perarnau ha tenido acceso al vestuario, al entrenador y a los jugadores, desde el fichaje de Guardiola y hasta el final de la temporada oficial, y nos ofrece un relato minucioso de la vocación de trabajo de Pep Guardiola, su obsesión por los detalles y su tozudez en la búsqueda de la excelencia. Una descripción detallada de todo lo que ha sucedido en la trastienda del Bayern durante la temporada 2013-14.

MEMORIAS EN
BLANCO Y
NEGRO

HISTORIAS DEL DEPORTE
EN LOS TIEMPOS DEL NODO

ALFREDO RELAÑO

MEMORIAS EN BLANCO Y NEGRO
de Alfredo Relaño

El secuestro de Di Stéfano, la caída de Ocaña en La Menté, las aventuras y desventuras de Bahamontes, el fenómeno Urtain, la misteriosa muerte de Benítez, la clausura del Metropolitano, la curiosa conversación entre Franco y Miguel Ors sobre el olímpico príncipe Juan Carlos, el puñetazo de Villar a Cruyff, la fuga de Coque con Lola Flores, Ángel Nieto, Kubala, Gento, Iribar, Zoco, Glaría, Ramallets, Ferrandis y su *globetrotter*, Pahíño, Pirri, Gorostiza, Alsúa, Carrasco contra Velázquez, Luis Suárez y su balón de Oro, Helenio Herrera, la primera santiaguina, el Racing de los bigotes o la peluca de Tati Valdés. Y muchas historias más…

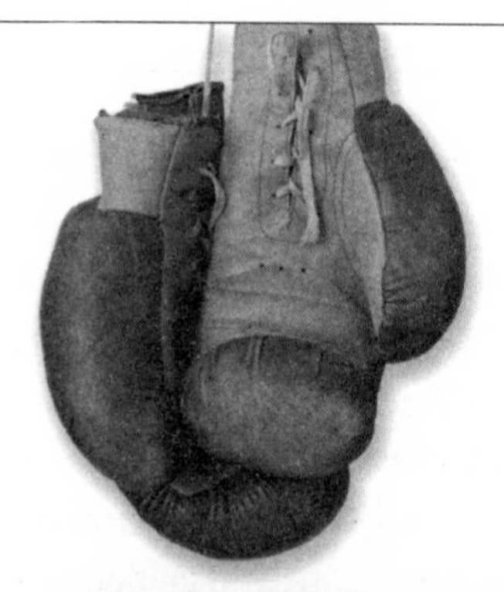

LA ESFERA Y EL GUANTE

Aventuras deportivas de un periodista inquieto.

JULIO CÉSAR IGLESIAS

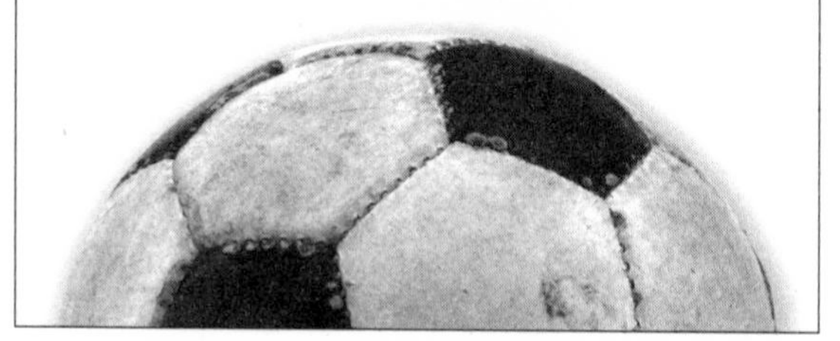

LA ESFERA Y EL GUANTE
de Julio César Iglesias

Los acontecimientos deportivos marcan la vida de personas y países. En la historia del deporte no solo se computan los éxitos y los fracasos de los deportistas, sino también los testimonios de periodistas que han narrado y comentado sus peripecias. Desde hace muchos años, las páginas deportivas de los diarios acogen a grandes escritores: observadores capaces de analizar la fibra de los campeones y de trasladar al papel la emoción de sus proezas. Julio César Iglesias es uno de los grandes del periodismo español. Maestro y referencia. Este libro es una antología de reportajes, artículos y retratos que el autor ha publicado a lo largo de más de treinta años de trayectoria profesional.

CÓRNER

Orfeo Suárez

PALABRA DE ENTRENADOR

Prólogo de Carlos Toro

Reflexiones, anécdotas y método de los mejores técnicos del fútbol español

PALABRA DE ENTRENADOR
de Orfeo Suárez

Un conjunto de reflexiones y anécdotas de los técnicos más relevantes del fútbol español, realizado a través del contacto y las conversaciones que el periodista Orfeo Suárez ha mantenido con los entrenadores durante más de veinticinco años de profesión. La figura del técnico es, en su opinión, un enigma psicológico por las presiones que soporta, que acaba por conocerse mucho mejor cuando se accede a su intimidad. No se trata de simples biografías, ni de entrevistas, sino de la interpretación que el autor hace de los personajes a partir de las confidencias y las vivencias mutuas. En conjunto, conforman un retrato íntimo de quienes trabajan cada semana sobre una silla eléctrica.